Chère lectrice,

Ce mois-ci, plus que [illegible] mêlent dans le cœur de n[illegible] pour donner vie à des histoires brûlantes de passion et d'intensité.

Dans *Un irrésistible défi* (Azur n° 3483), le premier tome de la série de Lynne Graham « Amoureuses et insoumises », Kat et Mikhail, l'impitoyable milliardaire qui vient d'acheter son petit cottage, se déchirent entre quiproquos et mensonges, avant de s'abandonner – enfin – à la puissance de l'amour.

Et chez les Corretti, dans *Le secret de Valentina* (Azur n° 3484), c'est le passé qui se dresse, tel un mur infranchissable, entre Valentina, une héroïne aussi impétueuse qu'émouvante, et Gio Corretti, l'homme qu'elle s'est juré de ne jamais aimer, mais qui l'attire irrésistiblement…

En compagnie de ces inoubliables héros, je vous souhaite un excellent mois de lecture !

La responsable de collection

La brûlure d’un baiser

LINDSAY ARMSTRONG

La brûlure d'un baiser

collection Azur

éditions HARLEQUIN

Collection : Azur

Cet ouvrage a été publié en langue anglaise
sous le titre :
THE RETURN OF HER PAST

Traduction française de
ANNE DE RIVIERE-DUGUET

ÉDITIONS HARLEQUIN

83-85, boulevard Vincent-Auriol, 75646 PARIS CEDEX 13.
Service Lectrices — Tél. : 01 45 82 47 47
www.harlequin.fr

ISBN 978-2-2803-0695-9 — ISSN 0993-4448

Prologue

Seule dans la cuisine, Mia Gardiner préparait le dîner pour sa mère quand l'orage s'abattit soudain sur la maison. Lâchant le rouleau à pâtisserie qu'elle tenait à la main, elle fit à la hâte le tour de West Windward, la splendide demeure de la richissime famille O'Connor, pour fermer les fenêtres et les portes. Elle était à deux pas de la porte d'entrée quand une silhouette sombre apparut dans l'entrebâillement et s'avança vers elle en titubant.

Sous le choc, elle sentit son cœur bondir dans sa poitrine et elle allait crier quand elle reconnut l'homme de haute stature qui se dressait devant elle.

— Carlos ! Qu'est-ce que… Tu te sens bien ?

Elle dévisagea avec stupeur sa profonde coupure à la tempe d'où s'échappait un filet de sang.

— Que s'est-il passé ? ajouta-t-elle dans un souffle, avant de le saisir aux épaules quand elle le vit vaciller.

— J'ai été heurté par une branche, marmonna-t-il d'une voix blanche. Sacrée tempête, dis donc !

— C'est vrai, concéda Mia en posant la main sur son bras. Viens, je vais nettoyer ta blessure.

— J'ai surtout besoin d'un bon whisky !

Ignorant ses protestations, Mia l'entraîna dans le salon réservé aux domestiques — une pièce petite mais confortable qui jouxtait la cuisine. Carlos s'allongea sur le canapé sans se faire prier, poussa un gémissement et ferma les yeux.

Sans perdre une seconde, Mia tourna les talons et alla

chercher la trousse de secours. Un quart d'heure plus tard, elle avait nettoyé et pansé la plaie, tandis qu'au-dehors la tempête faisait rage et qu'une pluie diluvienne mêlée de grêle s'abattait sur la maison.

Voyant la lumière s'éteindre, elle ne put réprimer un geste d'impatience. Elle aurait dû s'y attendre. Après tout, les coupures de courant étaient fréquentes dans la région quand le temps était orageux. Fort heureusement, sa mère gardait toujours à portée de main des lampes à kérosène, mais, dans l'obscurité, elle trébucha à plusieurs reprises avant de les trouver.

Elle en alluma deux, puis en saisit une et retourna dans le salon où Carlos était allongé les yeux clos, le visage blême. Elle le fixa longuement. Avec ses cheveux d'un noir de jais, hérités de ses ancêtres espagnols, et ses traits ciselés, il était d'une beauté à couper le souffle.

Malgré les dix ans qui les séparaient, Mia était amoureuse de Carlos depuis l'âge de quinze ans. Non qu'elle l'ait beaucoup vu ces cinq dernières années. En effet, il vivait à Sydney, mais revenait de temps à autre passer quelques jours sur les terres de son enfance pour faire du quad ou pratiquer l'équitation. Une passion qu'ils partageaient, Mia utilisant les écuries pour y loger son cheval et soignant les chevaux de Carlos durant son absence. Ensemble, ils avaient fait de nombreuses balades à cheval et s'il s'était douté de l'attirance qu'elle éprouvait pour lui, il n'en avait jamais rien montré.

Mais ce qui, au départ, n'était qu'une amourette s'était peu à peu transformé en un sentiment plus profond et, quand bien même elle savait que son amour pour Carlos ne serait jamais payé de retour — après tout, il était multimillionnaire et elle n'était que la fille de la gouvernante —, elle n'arrivait pas à l'oublier.

— Mia ?

La voix profonde de Carlos la tira brutalement de sa rêverie et elle vit qu'il avait ouvert les yeux.

— Comment te sens-tu ?

S'agenouillant à son côté, elle posa la lampe sur le sol.

— As-tu la migraine ? Vois-tu trouble ? Ou d'autres symptômes ?

— Oui, répondit-il après quelques instants de réflexion.

Elle le dévisagea, inquiète.

— Lesquels ? Je ne pense pas qu'un médecin accepte de se déplacer par ce temps mais…

— Je n'ai pas besoin de médecin, murmura-t-il en tendant les bras vers elle. Mais de toi. Tu es devenue une jeune femme extrêmement séduisante, Mia…

Mia eut un hoquet de surprise quand il l'étreignit dans ses bras puissants et, avant même qu'elle ait réalisé ce qui lui arrivait, l'allongea auprès de lui, sur le canapé.

— Carlos ! protesta-t-elle, s'efforçant en vain de se redresser. Que fais-tu ?

— Détends-toi.

— Mais… Si tu avais un traumatisme crânien ?

— Si c'était le cas, chaleur et réconfort seraient préconisés, n'est-ce pas ?

— Je… peut-être, mais…

— Et c'est exactement ce que tu peux m'offrir. Alors, cesse de gigoter comme un asticot !

— Un asticot ? répéta Mia, vexée.

— Pardonne-moi. Je ne voulais pas te blesser. Ma phrase était maladroite. Que penses-tu plutôt de « sirène prise au piège » ? C'est mieux, non ? murmura-t-il en faisant courir les doigts sur son corps.

Mia s'apprêtait à renchérir quand, malgré elle, elle éclata de rire. L'instant d'après, ils riaient tous les deux aux éclats et Mia ressentit un bonheur inconnu d'elle jusqu'alors.

Elle était si heureuse qu'elle ne le repoussa pas quand il se mit à l'embrasser. Blottie dans ses bras, elle se noya dans le baiser qu'il lui donnait, savourant chaque instant de cet échange passionné.

Elle sentit son corps s'éveiller à des sensations inconnues

qui la firent frémir des pieds à la tête. Elle était particulièrement réceptive à sa force tranquille et à ses mains puissantes, pourtant capables de la plus érotique des caresses.

Elle répondit avec fougue à ses baisers et, quand Carlos se laissa retomber sur le canapé, elle se blottit contre lui et l'entoura de ses bras, bouleversée par la puissante attirance qu'elle éprouvait pour lui — et lui pour elle, semblait-il. Sinon, pour quelle autre raison aurait-il agi ainsi ? Et pourquoi lui aurait-il dit qu'elle était ravissante ?

A moins qu'il ne souffre d'une commotion cérébrale…

Deux jours plus tard, Mia quittait la propriété des O'Connor pour regagner le Queensland, où elle faisait ses études.

Elle avait dit au revoir à ses parents qui en dépit de leur fierté avaient semblé tristes de voir leur fille partir si loin. Mia en avait été profondément émue, même si elle savait qu'ils adoraient leur travail. Son père avait un grand respect pour Frank O'Connor qui avait transformé sa petite entreprise de construction en une société réalisant plusieurs millions de dollars de chiffre d'affaires. Hélas, celui-ci venait de subir un accident vasculaire cérébral, et c'est son fils Carlos qui avait repris les rênes de la société.

Celui-ci devait son prénom espagnol à sa mère, Arancha, une véritable beauté dans sa jeunesse, qui l'avait ainsi baptisé en hommage à ses ancêtres. Arancha aimait passionnément la propriété familiale de West Windward, où travaillaient ses parents.

Mais c'était la mère de Mia qui entretenait aujourd'hui la demeure ancestrale et qui prenait soin des objets d'art, des tapis d'Orient d'une valeur inestimable et des meubles antiques, tandis que son père s'occupait des vastes jardins.

Dans une certaine mesure, Mia partageait les talents créatifs de ses parents. Elle adorait jardiner et le plus beau compliment que son père lui ait jamais fait était qu'elle avait la main verte. De sa mère, elle avait hérité le souci du détail et le goût de la bonne chère.

Mia devait beaucoup à ses parents, elle en était consciente. Ils s'étaient serré la ceinture pour lui payer des études dans un des meilleurs pensionnats du pays. Consciente qu'en allant à l'université, elle réalisait leur rêve, elle les aidait du mieux qu'elle pouvait quand elle était à la maison.

Cependant, quand elle quitta la propriété au volant de sa voiture, deux jours après l'orage, elle avait l'esprit en tumulte et le moral en berne. Elle s'éloigna sans un regard en arrière.

1.

— Carlos O'Connor sera présent, annonça Gail, l'assistante de Mia Gardiner, d'une voix excitée.

A ces mots, les doigts de Mia se figèrent sur la fleur qu'elle tenait à la main. Puis elle reprit son arrangement floral et plaça une à une les roses à longues tiges dans un vase.

— C'est le frère de la mariée, dit-elle d'un ton neutre.

Gail leva les yeux et dévisagea Mia d'un air surpris.

— Comment le sais-tu ? Ils n'ont pas le même nom.

— Son demi-frère pour être précis. Ils ont tous les deux la même mère et elle est un peu plus âgée que lui. Je crois qu'elle avait deux ans quand sa mère s'est remariée et a eu Carlos.

— Comment diable sais-tu ça ?

Mia recula d'un pas pour admirer sa composition florale, tout en grimaçant en son for intérieur.

— Euh… Je croyais qu'il n'y avait pas grand-chose que les gens ignoraient concernant la vie des O'Connor.

Gail fit la moue, puis reporta son attention sur la liste des invités.

— Il est juste indiqué ici « Carlos O'Connor et sa compagne », sans mentionner son identité. Mais il me semble avoir lu quelque part qu'il sortait avec Nina French.

Gail marqua une pause, puis laissa échapper un profond soupir.

— Cette femme est superbe. Elle a de la chance de

sortir avec un homme comme Carlos O'Connor. Il est non seulement richissime, mais aussi très séduisant.

— Sans aucun doute, rétorqua Mia d'un ton sec, avant de baisser les yeux sur les hortensias roses et bleus à ses pieds.

— Bon, dans quoi vais-je mettre ces fleurs ? Ah, je sais… La grande soupière en cristal de Wedgewood. Elles seront superbes là-dedans. Et toi, Gail, où en es-tu ?

Gail sursauta d'un air coupable.

— Je m'apprêtais à dresser les tables, marmonna-t-elle avec raideur avant de s'éloigner, poussant devant elle la desserte à couverts.

Agacée par son comportement de midinette, Mia leva les yeux au ciel, puis partit à la recherche de la soupière.

Quelques heures plus tard, alors que le soleil se couchait sur le mont Wilson, Mia travaillait encore, assise dans le petit bureau qui lui servait de quartier général. C'était là qu'elle gérait son entreprise d'organisation de réceptions, devenue depuis peu extrêmement florissante.

Non seulement la magnifique demeure se prêtait fort bien aux réceptions et banquets en tout genre, mais elle regorgeait aussi d'œuvres d'art et de meubles anciens qui faisaient sa joie. Elle travaillait dans un cadre somptueux, songea Mia en poussant un soupir de satisfaction.

Situé à la pointe nord des Blue Mountains et à l'ouest de Sydney, le mont Wilson était considéré depuis plus d'un siècle comme une station d'altitude. Avec ses maisons cossues de style britannique bordées de jardins à l'anglaise, dans une région pourtant réputée pour ses forêts humides et impénétrables, l'endroit était d'une beauté à couper le souffle.

Une route étroite serpentait à flanc de coteau, bordée d'arbres centenaires aussi variés que superbes : platanes, tilleuls, ormes et hêtres se mélangeaient allègrement en une masse profuse de couleurs chatoyantes, surtout à l'automne.

On devinait de splendides demeures anciennes nichées dans des écrins de verdure, à l'abri des regards. Comment ne pas tomber sous le charme de ce lieu idyllique ?

Même si, en fin de compte, le mont Wilson n'était qu'un lieu de villégiature cossu, permettant aux gens aisés de s'éloigner de l'agitation de Sydney et de sa chaleur écrasante.

Et demain, Juanita Lombard, la demi-sœur de Carlos, allait épouser Damien Miller sur le mont Wilson — à Bellbird, plus précisément. Le jeune homme s'était lui-même occupé des réservations.

Etouffant un bâillement, Mia se leva, s'étira, puis se dirigea vers la porte d'entrée. Elle avait assez travaillé pour aujourd'hui.

Elle n'habitait pas dans la maison principale, mais dans la loge du jardinier — une petite maison confortable et douillette, bien qu'atypique pour la région. Construite en brique et en bois du pays et dotée d'une chaudière à combustion, elle servait à l'origine d'atelier d'artiste. Le sol était recouvert de galets en grès et la cuisine ultra-moderne desservait une mezzanine, accessible par une échelle.

Elle adorait sa maison qui se prêtait admirablement à son penchant pour la photographie, comme en témoignaient les spectaculaires photos de nature et de vie sauvage qui ornaient les murs.

De plus, la maison était proche des écuries, où elle se rendit en premier pour y conduire son cheval, Long John, afin de lui donner à manger et de l'installer pour la nuit.

Bien que ce fût encore l'été, le brouillard couvrait déjà la cime des arbres et il faisait frais, mais le coucher du soleil était saisissant de beauté et Mia regarda l'astre du jour disparaître lentement derrière les sommets, dans une symphonie de rose et d'or. Les bras autour de l'encolure de son cheval, elle demeura longtemps ainsi, perdue dans ses pensées. Qui aurait cru que le destin l'amènerait un jour à croiser de nouveau la route de Carlos O'Connor ?

Secouant la tête, elle ramena Long John à l'écurie, lui donna de l'avoine et remplit son seau d'eau, puis, après une dernière caresse, l'enferma pour la nuit.

Le passé revint alors la hanter. Les souvenirs qu'elle s'était efforcée de refouler depuis l'instant où elle avait su que Carlos serait présent au mariage revinrent en force.

— Je peux le faire, assura-t-elle. J'ai parcouru tant de chemin depuis cette époque… Oui, je vais y arriver !

Elle ferma les yeux, mais les souvenirs ne s'effacèrent pas pour autant. Comment oublier le visage sublime de Carlos O'Connor ? Sa chevelure d'un noir de jais dont quelques mèches folles tombaient parfois dans ses yeux, sa peau brune, héritage maternel, et ses yeux d'un gris profond qui pouvaient être froids et impénétrables ou, au contraire, vifs et espiègles.

Comment oublier son visage à la fois irrésistible et fascinant ? Sa façon de rire aux éclats et son humour mordant ? Quand, en jean et en T-shirt, il s'adonnait à ses passe-temps favoris — la voile, l'équitation ou l'aviation —, personne n'aurait soupçonné qu'il était à la tête d'une multinationale. D'ailleurs, en y pensant, Carlos s'habillait rarement de façon formelle…

Mais comment oublier, surtout, cet instant magique où, allongée sur le canapé, elle s'était blottie dans ses bras ?

Perdue dans ses pensées, Mia demeura immobile de longues minutes, puis elle secoua la tête. Il était temps de se ressaisir. Le mariage aurait lieu demain, et il fallait s'y préparer.

Quand elle se réveilla, le lendemain matin, Mia constata avec soulagement que le temps était beau et dégagé. C'était déjà ça !

Sautant du lit, elle revêtit à la hâte un jean et une chemise élimée, puis descendit dans la cuisine où elle se fit du thé. La tasse à la main, elle sortit sur la terrasse et promena avec ravissement les yeux sur les magnifiques jardins qui entouraient la propriété.

Même si Bellbird employait un jardinier, c'est Mia qui supervisait son travail, ce qui entraînait d'inévitables frictions avec Bill James, un homme taciturne d'une soixantaine d'années qui avait passé sa vie entière dans la montagne. Il vivait avec sa femme, Lucy, dans une petite maison de bois voisine de celle de Mia.

Lucy James était absente en ce moment. Tous les ans, elle passait un mois auprès de sa fille et de ses six petits-enfants, à Cairns. Hélas, Bill avait beau y conduire sa femme, il ne demeurait jamais plus de quelques jours sur place. Mia devait alors supporter ses sempiternelles jérémiades qui n'étaient déjà pas agréables en temps normal, mais qui prenaient une ampleur démesurée quand Lucy s'absentait.

Enfin, elle n'allait pas se plaindre ! Elle avait une chance inouïe d'avoir pu démarrer son entreprise dans un lieu aussi prestigieux que Bellbird. Sa rencontre avec les propriétaires de Bellbird — deux sœurs âgées qui ne s'étaient jamais mariées — avait été le fruit du hasard.

Lors de sa première visite dans les Blue Mountains, Mia s'était rendue à Echo Point, principale attraction touristique de la région offrant une vue spectaculaire sur toute la vallée de Jamison. Debout sur la plate-forme d'observation, elle avait laissé son regard se perdre au loin, avant d'aller se reposer sur un banc.

C'est alors que deux vieilles dames étaient venues s'asseoir à côté d'elle et avaient lié conversation. En moins de temps qu'il n'en fallait pour le dire, elle avait appris que les deux sœurs possédaient une propriété sur le mont Wilson, désormais vide puisqu'à leur grand désespoir elles vivaient maintenant en maison de retraite.

Mia leur avait parlé de son projet de créer une agence d'organisation d'événements et les choses étaient parties de là. Et ce qui avait commencé comme une relation d'affaires s'était peu à peu mué en franche amitié. Mia leur rendait souvent visite dans leur maison de retraite tant décriée, mais qui en réalité était luxueuse et bien gérée. Elle leur apportait des fleurs et leur donnait les dernières nouvelles du village, car elle savait à quel point il était difficile pour elles d'être éloignées de Bellbird.

Le seul point sombre, dans toute cette histoire, était que son bail, renouvelé annuellement, arrivait bientôt à terme. Les deux sœurs ne voyaient aucun inconvénient à le renouveler, mais avaient laissé entendre qu'elles subissaient des pressions de la part de leur neveu — leur plus proche parent et héritier — qui les poussait à vendre la propriété.

Emerveillée, Mia embrassa du regard les superbes jardins, puis franchit le seuil de la demeure pour inspecter une dernière fois les lieux. Bellbird était fin prêt pour accueillir les invités. Le célébrant procéderait au mariage dans une élégante rotonde située au fond du jardin, tandis que le repas de noces serait servi dans l'immense salle à manger qui pouvait aisément accueillir la petite centaine d'invités triés sur le volet. Avec son magnifique plafond à caissons et ses immenses portes vitrées ouvrant sur la terrasse et la roseraie, la pièce était spectaculaire.

— Tout a l'air parfait, annonça Mia à Gail qui venait d'arriver. Ah, voici le traiteur ! Nous pouvons commencer.

Elles se saluèrent comme elles en avaient l'habitude et se mirent au travail.

Après un dernier coup d'œil à la suite nuptiale où les membres de la famille pourraient s'habiller ou se reposer en cas de besoin, Mia retourna chez elle prendre une douche et s'habiller.

Une fois prête, elle se dévisagea longuement dans le

miroir. Elle s'était toujours donné pour règle de s'habiller de façon élégante et discrète pour se fondre dans l'assemblée, et aujourd'hui ne faisait pas exception. Elle portait une robe de soie vert émeraude à manches courtes et des escarpins, ainsi qu'un collier de perles et un chapeau bibi assorti à sa tenue.

Il ne me reconnaîtra sans doute pas, essaya-t-elle de se rassurer, tout en reculant d'un pas pour se contempler plus en pied. Sa tenue lui allait à ravir et le bibi lui donnait un air plus sophistiqué que d'habitude.

A vrai dire, même sans chapeau, elle ne ressemblait que de très loin à la jeune fille toujours affublée de jeans et de T-shirts informes que Carlos avait connue. Même ses cheveux étaient désormais disciplinés ! A cette pensée, elle fit la grimace. Ses cheveux bruns et bouclés, impossibles à coiffer, étaient un point sensible pour elle. Elle se voyait obligée de les nouer en un chignon sévère pour parfaire son allure professionnelle, chose qu'elle n'avait jamais faite auparavant.

Ses immenses yeux verts, ourlés de longs cils, n'avaient en revanche pas changé et lui procuraient toujours autant de fierté, tout comme sa bouche pleine et sensuelle. Son visage ovale était creusé de deux fossettes qui lui donnaient — à sa grande contrariété — un air mutin qui, croyait-elle, cadrait mal avec l'image de la jeune femme sophistiquée qu'elle s'efforçait de donner.

Dépitée, Mia se détourna du miroir et s'aperçut avec horreur qu'elle était secouée d'irrépressibles frissons. Inutile de se leurrer, elle était pétrifiée d'angoisse.

De fait, dès l'instant où elle avait su qui était la mariée, elle s'était fait violence, persuadée d'être capable d'affronter la famille O'Connor, même si au plus profond d'elle-même elle avait été prise d'une folle envie de fuir.

Maintenant, il était trop tard. Elle ne pouvait plus reculer. Elle allait devoir se montrer polie avec Arancha

O'Connor et sa fille, Juanita, et surtout… se comporter de façon la plus normale qui soit avec Carlos.

Sauf si, par miracle, ils ne la reconnaissaient pas.

Prenant une profonde inspiration, elle redressa les épaules et se dirigea vers la porte d'un pas déterminé. Elle allait y arriver, se répéta-t-elle pour se donner du courage.

Hélas, toutes ses incertitudes resurgirent un peu plus tard quand elle décida de changer de place la splendide soupière Wedgwood emplie d'hortensias multicolores… et la fit tomber par terre où elle se brisa en mille morceaux, l'arrosant copieusement par la même occasion.

— Tout va bien, Mia ?

Alertée par le bruit, Gail arriva en courant et d'un coup d'œil évalua les dégâts.

— Je suis désolée, balbutia Mia en portant la main à sa bouche. Comment ai-je pu faire ça ? Cette soupière était si belle !

Interloquée, Gail dévisageait Mia quand elle se fit soudain la réflexion que celle-ci semblait moins sûre d'elle, depuis quelques jours.

— Un accident peut arriver.

— Oui, bien sûr, répondit Mia.

— Va changer de chaussures, suggéra Gail. Pendant ce temps, je nettoierai les dégâts. Dépêche-toi, nous n'avons plus beaucoup de temps !

— Merci ! Crois-tu qu'on pourrait la réparer ?

— Peut-être, dit Gail d'un ton conciliant. Allez, allez !

Mia s'éloigna enfin et ne vit pas son assistante la suivre d'un regard perplexe avant d'aller chercher un balai pour ramasser les débris.

Derrière la fenêtre où Mia s'était postée, elle vit la mariée, les demoiselles d'honneur et la mère de la mariée arriver dans des limousines, louées pour l'occasion. Le visage tendu et les nerfs à vif, elle agrippa le rideau de toutes ses forces, tandis qu'elle regardait le groupe, et plus particulièrement Arancha O'Connor, descendre de voiture. Puis elle prit une profonde inspiration, compta jusqu'à dix et sortit pour les accueillir.

La suite nuptiale bourdonnait d'activité. Mia avait fourni les services d'un coiffeur, d'un maquilleur professionnel et d'un fleuriste et, dans l'effervescence qui s'ensuivit, elle eut bon espoir que personne ne la reconnaîtrait.

Elle se trompait.

Les préparatifs touchaient à leur fin quand Arancha O'Connor, extrêmement élégante dans sa robe en mousseline bleu lavande agrémentée d'un gigantesque chapeau, pointa soudain le doigt vers Mia.

— Je sais qui vous êtes ! Mia Gardiner.

Tétanisée l'espace d'un instant, Mia se tourna vers elle.

— C'est exact, madame O'Connor. Je ne pensais pas que vous vous souviendriez de moi.

— Bien sûr que je me souviens de vous ! Eh bien, eh bien… Vous avez grimpé l'échelle sociale, on dirait… Même si tout ceci ne s'apparente en réalité qu'à un poste de gouvernante haut de gamme, fit-elle remarquer avec hauteur avant de se tourner vers sa fille. Juanita, te souviens-tu de Mia ? Ses parents travaillaient pour nous. Sa mère aux fourneaux et son père au jardin.

Resplendissante de beauté dans sa robe de soie, auréolée d'un voile en dentelle et tulle, Juanita dévisagea Mia d'un air distrait.

— Bonjour, Mia. Oui, je me souviens vaguement de vous, mais étant plus âgée, je ne pense pas que nous ayons appris à nous connaître, dit-elle en baissant les yeux sur son portable. Maman, Carlos sera en retard et… viendra seul.

Arancha se raidit.

— Pourquoi ?

— Aucune idée, rétorqua-t-elle, avant de se tourner

vers Mia. Pouvez-vous réorganiser la table d'honneur pour qu'il n'y ait pas une place libre à côté de celle de Carlos ?

— Bien sûr, assura Mia.

Elle s'apprêtait à partir quand Arancha posa la main sur son bras.

— Carlos sort avec une jeune femme extraordinaire, confia-t-elle. Elle est mannequin, mais se trouve être aussi la fille d'un ambassadeur. Elle s'appelle Nina…

— Nina French, coupa Mia d'un ton sec. Oui, j'ai entendu parler d'elle, madame O'Connor.

— Nina a dû avoir un empêchement de dernière minute, mais…

— Ne vous inquiétez pas, madame O'Connor, même en l'absence de Mlle French, Carlos n'a rien à craindre de moi. Maintenant, si vous voulez bien m'excuser…

Là-dessus, elle tourna les talons, non sans avoir eu le temps de voir une lueur de colère briller dans les yeux d'Arancha.

— Cela se passe assez bien, murmura Gail quand Mia et elle se croisèrent un peu plus tard.

Mia acquiesça, soucieuse. Seulement « assez bien » avait dit Gail ? Qu'est-ce qui clochait ? En vérité, elle suffoquait encore de rage après sa discussion avec Arancha et elle n'arrivait pas à se concentrer sur son travail.

Ses remarquables talents d'organisatrice et son sens de l'accueil légendaire semblaient l'avoir désertée depuis qu'Arancha l'avait ravalée au rang de domestique.

— Mais *il* n'est toujours pas arrivé ! ajouta Gail.

— Il est en retard, c'est tout.

Gail poursuivit son chemin en haussant les épaules, laissant Mia seule face à son désarroi. Elle était douloureusement consciente que la fête tournait court et que sa réputation était en jeu. Mais le pire était le sentiment d'injustice qui l'habitait.

Elle avait espéré impressionner Arancha, lui montrer qu'elle avait créé et fait fructifier une société qui rencontrait un vif succès auprès des gens riches et célèbres. En outre, elle avait désormais sa place parmi eux ; elle portait des vêtements de marque et ses goûts éclectiques en termes de gastronomie et de décor étaient évoqués en termes élogieux par ses nombreux clients.

Mais qu'avait-elle prouvé ? Rien. En quelques mots bien choisis, Arancha avait réduit à néant sa fulgurante réussite et fait resurgir en elle un tenace sentiment d'infériorité. Elle était de nouveau la fille de la gouvernante, un titre méprisant qu'elle semblait condamnée à porter pour le restant de sa vie.

Une colère profonde l'envahit. Sa mère, une cuisinière hors pair qui avait été responsable de la bonne marche de la maison et qui s'était toujours efforcée de tenir au mieux son rôle, avait été dégradée au simple rang d'aide ménagère.

Quant à son père, un homme doux et rêveur, qui s'était pris de passion pour tout ce qui touchait à la nature et qui entretenait à la perfection les vastes jardins de la demeure familiale, il avait subi le même sort.

Elle secoua la tête, puis redressa les épaules et s'efforça de prendre sur elle. Le bruit d'un moteur puissant se fit alors entendre et, après un bref regard en direction des invités, elle se glissa à l'extérieur.

Un coupé sport de luxe jaune métallisé s'arrêta dans un crissement de pneus devant le perron et un homme de haute taille descendit, saisit un sac de voyage et se dirigea vers elle à grands pas.

— Je suis en retard, dit-il en guise d'introduction. Vous êtes… ?

— Je… C'est moi qui suis chargée de la réception

— Ah, très bien ! Vous pouvez donc m'indiquer où je peux me changer. Je suis Carlos O'Connor, et j'ai bien peur d'être dans le pétrin. Je sais que j'ai manqué la cérémonie, mais j'espère n'être pas arrivé trop tard pour les discours. Ils ne m'adresseraient plus jamais la parole !

Puis, la saisissant par le bras, il l'entraîna tambour battant vers la maison.

— Non, le rassura Mia d'une voix essoufflée. Et maintenant que vous êtes enfin arrivé, je vais pouvoir les faire patienter, le temps que vous vous changiez. Par ici !

D'un geste, elle indiqua une porte sur le côté qui menait directement à la suite nuptiale.

Une main sur la poignée, Carlos se tourna vers elle.

— Pouvez-vous leur annoncer que je suis arrivé ?

— Bien sûr.

— *Muchas gracias*, dit-il, avant de s'éclipser.

Bouche bée, Mia fixait la porte. Il ne l'avait pas reconnue !

Certes, c'était ce qu'elle avait espéré, mais elle se sentit néanmoins profondément blessée car son attitude reflétait bien l'importance qu'elle revêtait à ses yeux.

Elle déglutit avec peine, puis se ressaisit. Elle avait une prestation à effectuer et un message à livrer. Après avoir remis en place son bibi, elle entra dans la salle à manger et se dirigea discrètement vers la table d'honneur où elle murmura à l'oreille de la mariée que M. O'Connor était arrivé et qu'il se joindrait à eux dès qu'il se serait changé.

— Dieu merci ! s'exclama Juanita en se tournant avec un sourire radieux vers son mari. Il n'y a que lui qui puisse faire un discours bien senti, et puis… je compte sur lui pour mettre de l'ambiance, ici !

Mia se raidit.

— Sans parler du fait que maman commençait à paniquer, poursuivit Juanita. Elle était persuadée qu'il avait été victime d'un accident.

— J'aurais pensé que ta mère avait renoncé à s'inquiéter pour Carlos depuis longtemps, dit Damien.

— Jamais, rétorqua la jeune femme d'une voix sentencieuse. Pas plus qu'elle ne renoncera à lui trouver une épouse.

Mia choisit de s'éclipser et patienta non loin de la suite nuptiale pour conduire le retardataire à la salle à manger. Elle aurait de loin préféré confier cette mission à Gail, mais la jeune femme avait disparu.

Après cinq minutes d'attente, Mia perdit patience et frappa un coup sec à la porte. Celle-ci s'ouvrit à la volée et Carlos fit son apparition, très élégant dans son smoking et tenant à la main un nœud papillon.

— Je n'arrive pas à mettre ce satané truc, dit-il d'une voix exaspérée. Croyez-moi, si un jour je me mariais, j'interdirais à quiconque de porter un smoking et un nœud papillon.

D'un geste vif, il tendit l'objet du délit à Mia.

— Tenez ! A vous de me l'attacher, puisque c'est vous la responsable de la réception.

Mia prit le nœud papillon que Carlos lui tendait et lui décocha un regard glacial. Quel toupet !

— Voilà, c'est fait, dit-elle, après le lui avoir noué autour du cou d'une main experte. Maintenant, si vous voulez bien me suivre… On n'attend plus que vous !

— Attendez une seconde !

Les sourcils froncés, Carlos dévisageait Mia d'un air perplexe.

— Mia ? s'enquit-il d'un ton incrédule en la saisissant par la taille — geste parfaitement déplacé, au demeurant. C'est bien toi ?

Elle se figea, puis répondit d'une voix distante :

— Oui, c'est moi. Salut, Carlos ! Je ne pensais pas que tu me reconnaîtrais… Enfin, Juanita a vraiment besoin de toi, donc si tu voulais bien me suivre…

Elle fit mine de vouloir s'en aller, mais il ne la lâcha pas pour autant.

— Pourquoi es-tu en colère, Mia ?

Réprimant sa fureur, elle dut se mordre la langue pour ne pas lui dire tout ce qu'elle avait sur le cœur. Le moment était mal choisi.

— J'ai juste un peu de mal à faire décoller ce mariage, lâcha-t-elle du bout des lèvres. C'est tout. Donc…

Elle s'efforça une nouvelle fois de se libérer. En vain.

— Attends, attends. Cela fait au moins six ou sept ans que tu t'es enfuie, Mia.

— Je ne me suis jamais… Bon, tu as peut-être raison, concéda-t-elle. Mais peu importe. Ecoute, Carlos, j'ai besoin de toi pour mettre l'ambiance. Il en va de ma réputation. Donc, si tu voulais bien venir et faire ton discours tant attendu, je t'en serais infiniment reconnaissante.

— Dans un instant, murmura-t-il d'une voix distraite.

Il recula d'un pas pour admirer sa silhouette, tandis que son regard s'attardait sur sa taille et sur ses jambes.

— Waouh ! s'exclama-t-il d'un ton appréciateur. Excuse mon enthousiasme puéril, mais tu es devenue une jeune femme très élégante, Mia.

Mia se mordit la lèvre inférieure. Gérer Carlos n'avait jamais été facile, mais quand il se montrait buté — comme en ce moment —, elle ne pouvait strictement rien faire.

Réprimant un soupir, elle redressa la tête. Elle aussi pouvait jouer à ce petit jeu-là, se dit-elle.

— Tu n'es pas mal non plus dans ton genre, dit-elle tout sourires, adoptant un ton léger. Je suis d'autant plus surprise que ta mère ne t'ait pas encore trouvé de femme.

— Ma mère est bien la dernière personne au monde à qui je confierais la mission de me trouver une épouse, rétorqua-t-il d'un ton sec. Pourquoi une telle question ?

Mia écarquilla les yeux d'un air faussement surpris.

— Sans doute en raison de ce qui se passe ici aujourd'hui. Cela étant, la fête risque d'être gâchée si je ne trouve pas rapidement une solution, dit-elle en se libérant enfin.

Carlos la dévisagea sans mot dire, puis éclata de rire. Le cœur battant la chamade, Mia sentit un flot de sensations délicieuses se répandre dans sa poitrine et son ventre. Cela faisait si longtemps qu'elle n'avait pas entendu le rire de Carlos ni senti ses bras autour d'elle…

— Je ne sais pas ce que tu attends de moi, au juste.

— Ecoute, peu importe. Mais si tu ne fais pas très vite quelque chose pour sauver ce mariage, s'exclama-t-elle, je vais me mettre à crier !

2.

Mia but une nouvelle gorgée de vin, puis jeta un regard circulaire autour d'elle. La maison semblait étrangement calme après le départ des invités et du traiteur.

Le mariage avait été un franc succès. L'ambiance avait changé du tout au tout après le discours nourri de Carlos et, au moment de partir, Juanita les avait chaleureusement remerciées, Gail et elle, pour leur aide précieuse. Carlos était parti dans son coupé sport jaune et Gail était rentrée chez elle rayonnante de joie : non seulement elle avait vu le sublime Carlos O'Connor, mais elle lui avait même parlé !

Après avoir ôté ses escarpins et sa robe de soie, Mia avait revêtu des vêtements confortables dans l'idée de travailler, mais, au lieu de cela, elle s'était laissé tomber dans un fauteuil du vestibule, exténuée.

Elle était toujours fatiguée après une prestation de ce type car elle y mettait toute son âme et son énergie, mais cette fois-ci les choses étaient un peu différentes… Revoir Carlos après toutes ces années l'avait déstabilisée, et avait ravivé en elle des sensations oubliées depuis longtemps. Elle s'était certes préparée à ces retrouvailles, mais contre toute attente elle s'était trouvée sans défense face à ses propres émotions et avait soudain pris conscience de l'attirance qu'elle éprouvait encore pour lui. Et le fait qu'il ne l'ait pas reconnue de prime abord lui avait transpercé le cœur.

— Tu te sens mieux ?

Une voix profonde la tira de ses pensées et, levant les yeux, elle vit Carlos debout devant elle.

— Mais… mais, balbutia-t-elle, je croyais que tu étais parti.

— Je suis revenu. Je passe la nuit chez des amis non loin d'ici et j'ai pensé que tu avais besoin d'un verre. Mais je vois que tu ne m'as pas attendu… Où sont les bouteilles ?

Mia hésita l'espace d'un instant, puis indiqua d'un geste la desserte. Après s'être versé une généreuse rasade de whisky, Carlos la rejoignit et prit place en face d'elle. Vêtu d'un pantalon kaki et d'un sweat-shirt gris, il était d'une beauté renversante.

— Tu te sens mieux ?

— Oui, acquiesça-t-elle.

Il fronça les sourcils.

— Es-tu sûre que ce travail te convient ? Tu as l'air vidé.

— D'habitude, cela ne…

Elle s'interrompit et se mordit la lèvre inférieure.

— Cela ne t'affecte pas ainsi, tu veux dire ?

Gênée, elle baissa les yeux sur ses genoux.

— Eh bien… A vrai dire, non.

— En quoi cette prestation était-elle différente ?

— Je ne sais pas. Je pensais sans doute qu'aucun d'entre vous ne me reconnaîtrait.

— Qu'est-ce qui t'a fait croire une chose pareille ?

Elle haussa les épaules.

— J'ai changé.

— Pas tant que ça.

Agacée, elle le fusilla du regard.

— C'est ce que ta mère m'a fait comprendre. Selon elle, mon travail n'est qu'un poste de gouvernante amélioré.

— Je n'ai pas dit ça ! protesta-t-il. Depuis quand es-tu devenue si susceptible, Mia ?

— Je ne le suis pas, rétorqua-t-elle avec hauteur. Euh… Ecoute, Carlos, c'est gentil d'être revenu voir si j'allais bien, mais tu devrais partir, maintenant. Tes amis vont s'inquiéter et le travail m'attend.

— A moins de me mettre à la porte de force, je ne partirai pas d'ici, dit-il d'un ton laconique. Tu vas donc devoir me supporter, Mia. Pourquoi n'en profiterais-tu donc pas pour me raconter ce que tu as fait pendant toutes ces années ? Je veux parler des années entre le moment où tu m'as embrassé à perdre haleine et maintenant…

Mia blêmit, mais ne dit mot.

— J'attends, dit-il au bout de quelques secondes.

Elle pesta en son for intérieur mais, en voyant se crisper les muscles de sa mâchoire, elle comprit qu'il ne renoncerait pas avant d'avoir les réponses à ses questions.

— Très bien ! dit-elle d'une voix crispée, je…

— Attends, coupa-t-il en lui prenant le verre des mains. Laisse-moi nous resservir.

A contrecœur, Mia se mit à parler. Elle lui dit que ses parents étaient désormais à la retraite et vivaient au nord du Rivers district en Nouvelle-Galles du Sud, qu'ils avaient ouvert un salon de thé fort réputé, non seulement pour les délicieux gâteaux que confectionnait sa mère, mais aussi pour le miel provenant des ruches de son père.

Elle lui raconta comment, après ses années d'études, elle avait effectué diverses missions dans la restauration, avant de se décider à faire le grand saut et de créer sa propre entreprise.

— Et voilà, maintenant tu sais tout. Et toi ? Qu'as-tu fait pendant toutes ces années ?

— Pas de relations ? s'enquit-il, ignorant sa question.

— Pas vraiment, admit-elle en faisant tourner son doigt sur le bord de son verre. Rien de *sérieux*, en tout cas. A vrai dire, je n'en ai pas eu le temps. Et toi ?

— Je… Je n'ai personne dans ma vie en ce moment,

dit-il d'une voix hésitante. Nina… Je ne sais pas si tu as entendu parler de Nina French ?

— Qui n'a pas entendu parler d'elle ? Elle est top-modèle, éblouissante et se trouve être la fille d'un ambassadeur.

— Oui, admit Carlos. Je viens de tout juste de rompre avec elle. Aujourd'hui, en fait.

Mia s'étrangla et reposa brutalement le verre sur la table.

— *Aujourd'hui ?*

Il acquiesça.

— Est-ce la raison pour laquelle tu étais en retard ?

Il hocha la tête.

— Nous avons eu une dispute mémorable juste au moment de partir — d'où la raison de mon retard, crut-il bon de préciser. D'ailleurs, notre relation a toujours été très volatile.

— Je suis désolée, murmura Mia. Mais vos retrouvailles n'en seront sans doute que plus émouvantes.

— Pas cette fois, dit-il d'une voix si dénuée d'émotion que Mia sentit un frisson naître le long de sa nuque.

Il se tut quelques instants, tandis qu'il faisait tourner le liquide ambré dans son verre.

— A part ça, j'ai travaillé comme un forcené pour remplacer mon père après son accident vasculaire cérébral. Il est décédé il y a quelques mois.

— J'ai appris sa mort dans le journal. Je suis désolée.

— Il ne faut pas. Cette épreuve l'a rendu amer et difficile à vivre et sa mort a finalement été une bénédiction pour nous tous. Il a toujours été difficile à satisfaire et je n'ai jamais réussi à répondre à ses attentes — mais cela a été pire après sa maladie. Quoi que je fasse il y trouvait à redire, conclut-il en avalant d'un trait son whisky.

— Je le connaissais à peine, murmura Mia.

— Je ne sais pas pourquoi je te raconte tout ça — les mariages incitent sans doute à la confidence — mais je me demande si mon père ne m'a pas légué son manque d'enthousiasme légendaire et une vision de la vie similaire à la sienne.

Mia fronça les sourcils.

— Que veux-tu dire ?

— Je cherche un sens à ma vie, mais je ne trouve pas…

— Pourquoi n'irais-tu pas vivre un an parmi des tribus primitives ? C'est ce genre de défi qui t'inspire ?

Carlos fit la grimace.

— Pas exactement.

— C'est peut-être d'une femme et d'une famille que tu as besoin, alors, dit-elle d'une voix maternelle.

Les paupières mi-closes, Carlos la dévisagea longuement.

— Tu ne voudrais pas prendre la place de Nina, par hasard ? finit-il par dire.

Mia écarquilla les yeux de stupeur.

— Qu'entends-tu par là, au juste ?

— Accepterais-tu de te fiancer avec moi ? Non que Nina et moi étions fiancés…

Mia s'étrangla de nouveau et manqua de s'étouffer.

— Comment oses-tu me faire une telle proposition ? Ce n'est pas drôle du tout ! s'exclama-t-elle.

Il leva un sourcil interrogateur.

— Ce n'était pas censé l'être. Mais j'ai vraiment besoin de me protéger de Nina et de sa bande, en ce moment.

— Mais de qui parles-tu à la fin ?

— Je parle des gens qu'elle fréquente : Juanita, ma mère et tous les autres, dit-il, ponctuant ses dires d'un geste agacé de la main. Ils étaient tous là aujourd'hui.

Il marqua une pause, puis lui adressa un sourire lumineux.

— En comparaison, la fille de la gouvernante apparaît comme une véritable bouffée de fraîcheur.

Les lèvres pincées, Mia se redressa.

— Comment oses-tu te moquer de moi en prétendant vouloir m'épouser puis essayer de me faire rire en me rappelant que je suis la fille de la gouvernante ?

— Mia, comment peux-tu dire une chose pareille ? Je te

rappelle qu'il y a sept ans, toi et moi avons brûlé de la même fièvre. Peut-être que cela n'a pas beaucoup compté pour toi, mais tu ne peux pas nier la passion qui nous a animés.

— Pourquoi dis-tu ça ?

— Tu t'es enfuie, tu t'en souviens ?

— Je… C'est ta mère qui m'a dit de partir, protesta Mia, malgré son intention de ne pas évoquer le passé. Elle m'a dit que je n'étais pas assez bien pour toi et que je n'étais de toute façon qu'un jouet à tes yeux. Elle a ensuite menacé de licencier mes parents si je ne partais pas tout de suite.

— *Quoi ?* s'écria-t-il, sidéré.

— Tu n'étais pas au courant…

— J'ai fini à l'hôpital ce soir-là, si tu t'en souviens. Et quand je suis sorti, tu étais déjà partie. Ecoute, raconte-moi exactement ce qu'il s'est passé.

Rassemblant ses pensées, Mia se remémora la scène.

— L'orage était passé quand ta mère est arrivée, mais j'étais encore…

Elle hésita une seconde, puis poursuivit vaillamment :

— J'étais encore allongée sur le canapé. Tu dormais et je ne l'ai pas entendue arriver. Quand elle m'a vue, elle s'est mise dans une colère terrible, murmura Mia, frissonnant à ce souvenir pénible. Elle m'a tout juste laissé le temps de lui expliquer ce qui s'était passé avant de me renvoyer dans ma chambre. Puis elle a appelé un médecin et on t'a transporté à l'hôpital par hélicoptère. Ce n'est que le lendemain qu'elle m'a obligée à quitter les lieux.

— Et tes parents ?

— Je ne leur ai jamais dit ce qui s'était passé avec toi. Je leur ai juste annoncé qu'après moult tergiversations, j'avais enfin pris la décision de poursuivre mes études dans une des universités du Queensland où j'avais postulé et avait été acceptée. Je suis partie deux jours plus tard. Tu n'étais pas encore rentré de l'hôpital et je ne savais pas si je te reverrais un jour. Mais je ne pouvais pas prendre le risque de voir mes parents perdre leur emploi. Pas les deux en même temps.

Carlos ferma un instant les yeux.

— Je suis désolé. Je n'étais pas au courant. J'ai dû être un peu sonné car je ne me souviens pas de grand-chose, à part d'être resté plusieurs jours à l'hôpital. Et quand je suis enfin rentré à West Winward, tu avais disparu. C'est à ce moment-là que ma mère m'a annoncé que tu étais partie poursuivre tes études dans le Queensland et que tes parents étaient très fiers de toi. Quand je suis allé les féliciter, ils avaient l'air aux anges et ne semblaient pas le moins du monde traumatisés par ton départ.

— Ils étaient en effet fiers de moi. Mais dis-moi, n'as-tu jamais eu l'idée de venir me retrouver pour savoir la vérité ?

Carlos soutint son regard.

— Non, finit-il par admettre.

— Pourquoi donc ?

— En vérité, dit-il, l'air passablement gêné, je croyais que je ne ferais que bouleverser ton existence. Je n'étais pas prêt à m'engager dans une relation stable et la seule chose que je pouvais t'offrir était une liaison sans lendemain. En outre, je venais tout juste de reprendre les rênes de l'entreprise de mon père et je n'avais pas la tête à ça…

Il s'interrompit en voyant Mia blêmir.

— Je suis *sincèrement désolé*, mais…

Mais Mia en avait assez entendu. Se levant d'un bond, elle lui fit face.

— En d'autres termes, si ta mère ne m'avait pas ordonné de partir, c'est *toi* qui t'en serais chargé ?

— Non, répondit-il d'un ton ferme, avant de se lever à son tour et de tendre la main vers elle.

Comme Mia se rejetait en arrière, elle trébucha et serait tombée si Carlos ne l'avait pas agrippée par la taille.

— Ecoute-moi, ordonna-t-il en la tenant serrée contre lui.

Mia l'ignora et se débattit pour se libérer de son étreinte.

— Ça suffit, Mia ! Cesse de te débattre et écoute-moi.

— Il n'y a rien que tu puisses dire qui m'intéresse.

Il la dévisagea, évaluant du regard ses cheveux défaits, ses joues empourprées et la douleur qui se lisait dans ses yeux.

— D'accord, concéda-t-il. Que penses-tu de ça, alors ?

Et avant qu'elle n'ait eu le temps de réaliser ce qu'il comptait faire, Carlos pencha la tête et prit possession de sa bouche. Au contact des lèvres avides de Carlos, ce fut comme si les siennes s'embrasaient et elle capitula, entrouvrant à son tour la bouche.

Lorsqu'il s'écarta enfin, elle demeura un instant interdite, choquée par la réaction de son corps à cette brève étreinte. Comment pouvait-elle se comporter ainsi après l'annonce qu'il lui avait faite et qui s'apparentait à une trahison ?

— Ne me regarde pas ainsi, dit-il.

— Pourquoi m'as-tu embrassée ?

— C'est une façon classique de faire cesser une dispute entre un homme et une femme. Ne le savais-tu pas ?

Comme elle baissait les yeux, il vit qu'il l'avait de nouveau blessée. Quel maladroit il était ! se fustigea-t-il.

— Jamais je n'aurais eu l'idée de te repousser parce que tu étais la fille de la gouvernante.

— C'est ce que tu crois, mais…

— Ecoute-moi, bon sang ! Oui, je t'aurais dit qu'il n'y avait pas d'avenir pour nous, mais cela n'avait rien à voir avec ton rang social. Je n'ai jamais partagé les idées étroites et les délires de grandeur de ma mère et tu le sais très bien.

Mia s'empourpra. Le souvenir du désarroi qui l'avait submergée quand Arancha l'avait regardée de haut le matin même s'imposa à elle. En effet, en dépit de ses vêtements de haute couture et de son éclatante réussite professionnelle, elle n'avait pu se défaire de son complexe d'infériorité. Sans doute n'y arriverait-elle jamais ? De toute évidence, elle avait un long travail à faire pour reprendre confiance en elle et se sentir sur un pied d'égalité avec la famille O'Connor et l'omniprésente Nina French. Et apprendre que

Carlos l'aurait lui aussi rejetée si sa mère n'avait pas pris les devants n'avait fait que l'humilier davantage.

Quant à sa proposition de mariage…

— Je crois que tu es devenu fou, dit-elle avec franchise. Tu crois que j'ai envie de me fiancer avec toi après tout ce qui s'est passé ? As-tu seulement la moindre idée à quel point je me suis sentie avilie par les réflexions de ta mère ?

Réprimant un soupir, Carlos la relâcha et lui tendit son verre. Mia cligna des yeux et but une gorgée de vin, tandis qu'il la fixait de son regard intense.

— Quel âge as-tu ? demanda-t-il soudain.

— Pourquoi cette question ? s'enquit-elle d'un air méfiant.

— Pourquoi pas ? Vingt-cinq ans ?

Elle acquiesça.

— Y a-t-il eu au moins quelqu'un dans ta vie ?

Le rouge aux joues, Mia posa son verre sur la desserte d'un geste brusque.

— Cela ne te regarde pas, Carlos.

— Je crois que si. Par notre faute, tu as vécu une expérience terrible. Ma mère s'est toujours immiscée dans notre vie, mais sans jamais chercher à nuire à quiconque. Tu es l'exception qui confirme la règle. La maladie de mon père l'a beaucoup éprouvée et l'a sans doute rendue un peu… instable. Quoi qu'il en soit, je ne peux laisser passer ça.

— Tu ne peux rien faire. Et puis, c'est de l'histoire ancienne. Je m'en suis remise, maintenant.

— Tout le problème est là, justement ; je ne pense pas que tu t'en sois remise et je suis même convaincu que tu es toujours vierge.

Suffoquant d'indignation, Mia se redressa.

— Veux-tu… veux-tu bien t'en aller ? Quand je pense que je te prenais pour le plus gentil de la famille…

— Le moins mauvais du lot ? railla-t-il.

C'en fut trop. D'un geste rageur, Mia se débarrassa de ses chaussures et sortit de la maison en courant, puis s'élança sur la pelouse en direction de sa petite maison.

Et comme c'était visiblement son jour de malchance, elle posa le pied sur des débris de verre.

Poussant un cri de douleur, elle sautillait sur une jambe quand Carlos — qui la suivait de près — la souleva dans ses bras et fit demi-tour pour la ramener à la grande maison.

— Non, non, protesta-t-elle. Pas là ! Je ne veux surtout pas salir la maison.

— Alors où ?

— Chez moi, là-bas, répondit-elle en indiquant du doigt sa petite maison. Oh ! j'ai mis du sang sur tes vêtements.

— Ne t'inquiète pas pour ça. Voilà, nous sommes arrivés, dit-il en la déposant sur le sol. Prends appui sur une jambe, le temps que j'ouvre la porte et allume la lumière.

Quelques instants plus tard, Mia se retrouva installée sur le canapé, une serviette sous le pied, tandis que Carlos posait sur la table un flacon d'antiseptique, du coton et des pansements.

— Je suis bon médecin, tu sais. J'ai acquis une certaine expérience dans l'art de soigner les gens.

— Ah oui ? Et combien de personnes as-tu déjà *soignées* ? C'est profond ?

Carlos examina son pied.

— Assez, oui. Mais la blessure est propre et je devrais pouvoir stopper le saignement. Je t'emmènerai demain à l'hôpital pour qu'on te mette des points de suture. Evite de prendre appui sur ton pied durant quelque temps.

Il badigeonna la plaie d'antiseptique, posa une gaze stérile dessus et pour finir colla un pansement sur le tout.

— Voilà. C'est fini, dit-il en se reculant sur son siège.

Puis, sans transition, il se pencha et serra Mia dans ses bras.

— Tu es une bonne patiente, murmura-t-il à son oreille, avant de l'examiner d'un œil critique. Je te trouve un peu pâle. Tu te sens bien ?

Spontanément, Mia posa la tête au creux de son épaule.

— Ça ira, le rassura-t-elle. Je me sens un peu stupide, à

vrai dire. D'habitude, je passe toujours la pelouse au peigne fin pour justement éviter ce genre de désagréments et *jamais* il ne me viendrait à l'idée de courir pieds nus dehors…

— Pourquoi l'as-tu fait, alors ?

Il posa un baiser sur son front et ce simple geste lui fit l'effet d'un baume apaisant.

— Je voulais m'éloigner de toi le plus vite possible, avoua-t-elle. Pendant quelques minutes, je t'ai détesté, Carlos, et le simple fait de penser de nouveau aux propos que tu m'as tenus ravive ma fureur.

— Alors, n'y pense pas, dit-il, traçant du doigt le contour de ses lèvres pleines et sensuelles.

Mia retint son souffle, tandis qu'un flot de sensations merveilleuses se répandait dans sa poitrine et son ventre. En même temps, la proximité du corps ferme et puissant de Carlos la rendait nerveuse. En se remémorant la façon dont il l'avait caressée et embrassée ce soir, elle leva brusquement la tête. Carlos était dangereux pour son équilibre mental, elle ne devait pas l'oublier.

Elle s'écarta et changea rapidement de sujet.

— Cet accident tombe mal. J'ai des réceptions prévues toute la semaine. Je ne peux pas me permettre d'être absente.

— Demain ?

— Non, concéda Mia, mais dès lundi.

Carlos la dévisagea, interloqué.

— Es-tu la seule à pouvoir faire tourner l'agence ?

Mia secoua la tête.

— Euh… en fait non. Il y a Gail.

— Ah, Gail ! murmura-t-il, une lueur amusée au fond des yeux. J'ai fait sa connaissance aujourd'hui. Elle était aux petits soins pour moi.

Comme Mia levait les yeux au ciel, il sourit.

— Il m'a néanmoins semblé que sous ses dehors de midinette, Gail était quelqu'un sur qui on pouvait compter.

Refoulant son agacement, Mia répondit avec franchise :

— C'est vrai, tu as raison.

— Elle pourra donc te remplacer. Problème réglé.

Mia lui décocha un regard exaspéré, mais ne dit mot, se contentant d'acquiescer.

Insensible à sa frustration, il la dévisagea longuement.

— Je vois…

— Quoi donc ?

Sans répondre, Carlos se leva, rangea le matériel dans la trousse de premiers soins, puis alla déposer le tout dans la salle de bains.

— Je vois bien dans quel état d'esprit tu es, expliqua-t-il en la rejoignant. Je suis sûr que je suis la dernière personne au monde à qui tu aurais voulu demander conseil.

Tournant les talons, il se dirigea vers la cuisine.

— Y aurait-il quelque chose à grignoter chez toi ? lança-t-il par-dessus son épaule.

Partagée entre l'envie de rire et de pleurer en voyant avec quelle facilité il pouvait lire en elle, Mia déglutit avec peine.

— Regarde dans le frigo, répondit-elle, avant d'écarquiller les yeux. Oh ! tes vêtements sont tout tachés !

Carlos baissa les yeux sur sa tenue et poussa un juron.

— En effet ! Bon, je vais voir ce que je peux faire.

Mia ne put réprimer un fou rire quand Carlos revêtit un tablier après avoir nettoyé à l'eau froide les taches de sang.

— Voilà. Enfin présentable ! lança-t-il, l'air content de lui.

Là dessus, il ouvrit la porte du réfrigérateur et en sortit un bol de pâtes fraîches assaisonnées de sauce tomate et une salade verte déjà préparée. Enfin, après une légère hésitation, il prit aussi une bouteille de vin blanc.

— Quel est l'intérêt d'être à la fois sobre *et* vertueux ?

— Vertueux ?

— Nous ne sommes pas exactement décadents !

— Certes, concéda Mia en observant de loin Carlos qui enfournait les pâtes dans le micro-ondes.

*
* *

Un instant plus tard, Carlos posa deux assiettes pleines sur un plateau et transporta le tout jusqu'à la petite table du salon où ils mangèrent avec appétit.

Ils discutèrent à bâtons rompus, puis Carlos orienta la conversation sur son agence événementielle.

— Si je comprends bien, dit-il en se resservant de pâtes, dans le cas d'un mariage comme aujourd'hui, tu offres aussi les services d'un coiffeur et d'un maquilleur afin de permettre à la mariée et à son entourage de se préparer sur place ? Excellente idée ! Mais la mariée accepte-t-elle d'être apprêtée par un coiffeur qu'elle n'a jamais vu ? N'as-tu jamais eu à subir de drame de dernière minute ?

Mia ne put s'empêcher de sourire.

— Les coiffeurs et les maquilleurs travaillent dans des salons de beauté à Sydney, ce qui permet à la mariée et aux membres de sa famille de prendre rendez-vous *avant* le grand jour et de définir ensemble le style de coiffure le plus approprié.

Carlos lui lança un regard admiratif.

— Belle initiative, mademoiselle Gardiner !

Elle haussa les épaules.

— Simple question d'organisation. Je ne fais qu'ajouter ma touche personnelle à la beauté ensorcelante des lieux.

— Mmm…

Repoussant son assiette, il se leva pour prendre le plateau posé sur les genoux de Mia.

— A qui appartient cette propriété ?

Elle le lui dit, puis lui fit part malgré elle de son inquiétude.

— Elles ont dépassé les quatre-vingts ans et leur santé semble se détériorer. Elles commencent à perdre la mémoire et s'inquiètent pour l'avenir de Bellbird. En outre, leur neveu, qui est leur seul héritier, les pousse à vendre et à investir l'argent, espérant ainsi obtenir un rendement plus élevé. Bien sûr, cela ne me regarde pas, mais je crains que dans un avenir proche, je sois obligée de trouver un autre endroit pour poursuivre mon activité. Ce serait dommage, mais… Bon, on verra.

— Es-tu attachée à la propriété ? Ce n'est pas juste un lieu propice pour ton activité ?

Mia poussa un soupir et saisit son verre.

— J'adore cet endroit, admit-elle, une lueur rêveuse au fond des yeux. Je rêve d'en devenir propriétaire. Je ferais semblant d'être une jeune femme d'une autre époque qui accueillerait ses amis dans sa résidence d'été et ouvrirait ses jardins au public…

Elle but une gorgée de vin et poursuivit avec emphase :

— La plupart des habitants de mont Wilson vivent ici depuis plusieurs générations et ne quitteraient les lieux pour rien au monde. Oui, je crois que j'adorerais vivre ici et jouer à la châtelaine. J'aimerais aussi avoir une dizaine d'enfants.

Carlos sursauta.

— Dix ?

— Non, pas autant, mais beaucoup. J'adore les enfants.

Elle réprima un soupir. Comme elle aurait aimé avoir des enfants de Carlos ! En aurait-elle un jour, d'ailleurs, sachant qu'elle semblait désormais incapable de tomber amoureuse ?

— C'est sans doute parce que je suis fille unique qu'avoir une grande famille m'attire autant. Même si, après la dernière journée pique-nique, j'ai un peu révisé mon jugement, admit-elle avec un petit sourire. Les gamins étaient odieux !

— Journée pique-nique ?

— Deux fois par an, j'invite des jeunes d'un quartier défavorisé pour un pique-nique — enfin, des grillades au barbecue, plus précisément. Le dernier groupe était euh… dissipé, pourrait-on dire ! En tout cas, c'est ce qu'a prétendu Bill. De la graine de voyou ! a-t-il même ajouté.

— Bill ?

— Oh ! je ne t'ai pas parlé de lui ? C'est le jardinier. Lui et moi avons une relation… conflictuelle, même si j'admets bien volontiers qu'il excelle dans son travail. C'est juste que je me considère moi aussi comme un bon jardinier. En tout cas, mon père m'a toujours dit que j'avais la main verte et il était bien placé pour le savoir.

Les mains derrière la tête et adossé contre le mur en une posture nonchalante, Carlos se balançait sur sa chaise.

— Quel beau rêve !

— Nous en avons tous, je pense.

— Oui, répondit-il d'une voix distraite, comme s'il était plongé dans ses pensées.

— Et toi, quels sont tes… ambitions ou tes projets — à défaut de rêves ? demanda Mia, curieuse.

Les sourcils froncés, Carlos réfléchit quelques instants avant de répondre :

— J'en ai une, même si ce n'est pas à proprement parler une ambition. Plutôt quelque chose que je ne veux pas perdre de vue. Une personne que je détesterais voir me devancer.

— On dirait plus une vengeance personnelle qu'une ambition, fit-elle remarquer. Qui est-ce ?

— Talbot Spencer.

Elle le fixa, bouche bée.

— Tu veux parler de l'homme d'affaires qui possède une entreprise de construction de plusieurs millions de dollars ?

— Celui-là même, confirma Carlos. Nous sommes en concurrence sur certains marchés depuis des années. Il a aussi plusieurs fois tenté d'acquérir ma société, raison pour laquelle j'ai une dent contre lui — entre autres.

— N'a-t-il pas une réputation de play-boy ? dit Mia d'une voix songeuse. Cela dit, toi aussi.

— Merci, Mia, ironisa-t-il.

— Voitures, avions, chevaux et femmes…, déclara-t-elle. Oui, vous semblez tous les deux aptes à porter ce titre.

Marquant une pause, elle essaya de se souvenir du visage de Talbot Spencer. Grand et blond, il n'avait certes pas l'allure de Carlos mais était néanmoins très séduisant.

— Quelle est la véritable raison de votre antagonisme si ce n'est le monde impitoyable des affaires ?

Carlos fut si longtemps silencieux qu'elle crut qu'il n'allait pas lui répondre.

— Une femme, lâcha-t-il enfin du bout des lèvres.

— Il t'a volé ta copine ?

Il secoua la tête.

— Pas la mienne, mais celle de mon meilleur ami. Lui et moi étions encore à l'université à l'époque, contrairement à Talbot qui travaillait déjà ; il est un peu plus âgé que nous. La jeune fille en question était aussi à l'université. Elle venait de la campagne et était aussi naïve que crédule et ce qui devait arriver est arrivé. Elle a eu le coup de foudre pour lui et a aussitôt rompu avec mon ami. Pour faire court, Talbot l'a mise enceinte, puis l'a forcée à avorter, avant de la laisser tomber.

— Oh, non !

— Si. Ça lui a porté un coup terrible, d'autant qu'elle se sentait coupable d'avoir avorté. Il lui a fallu des années pour s'en remettre et mon ami a vécu l'enfer avec elle. Je ne pardonnerai jamais à Talbot le mal qu'il lui a fait et il le sait. C'est la raison pour laquelle il cherche à me détruire professionnellement… Mais pourquoi te dis-je tout ça, Mia ?

Elle sourit.

— Je ne sais pas. La journée a été éprouvante pour tous les deux. Peut-être ressentais-tu le besoin de te confier ?

— Tu as sans doute raison. Euh… Où est ta chambre ?

Mia indiqua d'un geste la mezzanine.

— Là-haut.

Il se leva.

— Cela t'ennuie-t-il si je jette un coup d'œil ?

Mia se demanda avec une légère appréhension si elle avait eu le temps de ranger sa chambre, puis haussa les épaules. Aucune importance, après tout !

— Je t'en prie !

L'instant d'après, il penchait la tête par-dessus la balustrade.

— Je vais dormir là-haut et toi en bas, dit-il d'un ton sans appel. Dis-moi ce dont tu as besoin et je te l'apporterai.

Mia se redressa d'un bond.

— Tu n'es pas sérieux !

— Mais si !

— Carlos…

— Ecoute, Mia, coupa-t-il d'un ton ferme. Tu ne penses pas sérieusement être en mesure de grimper là-haut, n'est-ce pas ? De plus, quel genre d'homme serais-je si je t'abandonnais seule ici au milieu de nulle part ? Comment se fait-il, d'ailleurs, que tu vives dans un endroit aussi isolé ?

— Je ne suis pas seule, riposta-t-elle. Il y a une autre maison pas loin d'ici où vivent Bill et sa femme, bien que celle-ci soit absente en ce…

Elle s'interrompit et se mordit la lèvre.

— Absente en ce moment ? conclut-il.

Elle acquiesça.

— Tu devras donc supporter ma présence car le plus loin que tu puisses te rendre, c'est la salle de bains. Et encore, en claudiquant… Et je ne te vois pas monter à l'échelle !

Là-dessus, il lança son pyjama par-dessus la rambarde, ainsi qu'un oreiller et un duvet.

Inspirant profondément pour garder son calme, Mia rassembla ses affaires.

— Bon, d'accord, peut-être que je n'aurais pas pu faire ça, admit-elle, mais sinon je peux me débrouiller. Je te remercie néanmoins pour ton offre. C'est très gentil de ta part, mais tu peux t'en aller, maintenant.

— Mia…

Il descendit et s'assit sur le bord du canapé.

— Mia, répéta-t-il d'une voix douce. Crois-moi, je n'ai pas l'intention d'essayer de te séduire.

Ils se dévisagèrent longuement jusqu'à ce que Mia détourne le regard.

— Je sais bien, murmura-t-elle. C'est juste que je n'aime pas me sentir redevable envers qui que ce soit.

— N'est-ce pas plutôt parce que tu as peur de laisser tes sentiments prendre le dessus ?

Mia s'apprêtait à répondre quand un long hennissement retentit dans la nuit. Long John…

Mia porta instinctivement la main à sa bouche.

— Ton cheval ? s'enquit Carlos.

— Oui. Je l'ai oublié ! Je ne l'ai pas nourri, ni rentré pour la nuit, dit-elle d'une voix paniquée. Et ce n'est pas dans mon état que je vais pouvoir le faire !

— Non, admit Carlos en se levant. Mais moi, si ! Et j'en profiterai pour chercher du bois pour le poêle.

— Mais… Je croyais que tu passais la nuit chez des amis ? Ne vont-ils pas s'inquiéter de ton absence ?

Carlos extirpa son portable de sa poche.

— Je vais les appeler. D'autres objections ? marmonna-t-il d'une voix où perçait son impatience.

— Non, rétorqua-t-elle d'un ton boudeur.

Elle venait tout juste de reposer la tête sur le canapé quand une pensée lui traversa soudain l'esprit, la faisant se redresser d'un bond.

— Méfie-toi de Long John. Il peut mordre.

Carlos la fixa, incrédule.

— Ne me dis pas que tu tolères un tel comportement ?

— Oh, ce n'est pas moi qu'il mord, le rassura-t-elle. Seulement les gens qu'il ne connaît pas et… Bill. Mais je le soupçonne de le provoquer.

— Merci de m'avoir prévenu, ironisa Carlos. Y a-t-il autre chose dont je devrais me méfier ? Des pumas ou des serpents dans la mezzanine ?

— Non, répondit-elle en riant malgré elle. A moins que…

— Je t'écoute…

— J'ai oublié de boucler la porte de la maison principale. Non pas que nous craignions grand-chose ici, mais je n'aime pas laisser la maison ouverte.

— Dis-moi simplement ce que je dois faire. D'ailleurs, cela me fait penser que je n'ai pas fermé ma voiture à clé.

Quand Mia eut fini ses explications, Carlos se dirigea vers la porte. La main sur la poignée, il se retourna vers Mia.

— Souhaite-moi bonne chance, dit-il avec un sourire empreint d'ironie, avant de disparaître dans l'obscurité.

L'esprit en tumulte, Mia fixa la porte d'un air hébété. Comment avait-elle pu laisser Carlos l'embrasser, sachant qu'il n'avait jamais ressenti pour elle autre chose qu'une simple attirance physique ? C'est même lui qui l'avait admis.

Furieuse contre elle-même, elle décida de profiter de son absence pour se préparer pour la nuit. Se levant avec précaution, elle se dirigea à cloche-pied vers la salle de bains. Quelques minutes plus tard, elle s'allongea sur le canapé, vêtue d'un pyjama à rayures douillet, et se blottit sous la couette pour se réchauffer.

Peut-être était-ce dû au vin ou à une journée riche en émotions ? Elle ne le saurait jamais. Mais à peine avait-elle posé la tête sur l'oreiller qu'elle s'endormit.

Carlos revint beaucoup plus tard, ses corvées enfin terminées. Après avoir ajouté du bois dans le poêle, il s'approcha du canapé et observa longuement Mia endormie. Ses longs cheveux bruns qu'elle avait nattés pour la nuit lui donnaient un air juvénile et sa bouche pleine et sensuelle était une véritable invitation aux baisers.

Il caressa sa joue du bout des doigts. Comment réagirait-elle s'il l'embrassait ? Laisserait-elle échapper un soupir de contentement avant de nouer les bras autour de son cou ? L'inviterait-elle à s'allonger à côté d'elle et à lui prodiguer la plus tendre des caresses ?

Refrénant son désir, il enfonça les mains dans ses poches, fasciné par le besoin irrépressible qu'il avait de prendre Mia dans ses bras. Effrayé par cette perte de maîtrise de lui-même et l'esprit en tumulte, il s'écarta et s'assit sur une chaise.

En vérité, il avait dû mal à voir en la jeune femme

époustouflante qu'elle était devenue la timide adolescente d'autrefois. Certes, il avait toujours su qu'elle avait le béguin pour lui et avait pensé qu'avec le temps, cet amour de jeunesse lui passerait, mais il avait suffi d'une tempête et d'une blessure à la tête pour que le destin bascule. Et avant qu'il ait su ce qui lui arrivait, il lui était tombé dans les bras.

Son court séjour à l'hôpital lui avait fort heureusement ouvert les yeux et il était revenu avec la ferme intention de mettre fin à cette mascarade. Mais à sa vive surprise, il n'en avait pas eu besoin. Mia avait plié bagage et était partie à l'université, pour la plus grande fierté de ses parents.

Hélas, les choses ne s'étaient pas exactement déroulées de cette façon, se rappela-t-il.

A la pensée de sa mère, il poussa un soupir. Egale à elle-même, Arancha était déterminée à défendre les intérêts de sa famille — quel qu'en soit le prix à payer. Son comportement tyrannique n'avait cessé d'empirer depuis la mort de son père, au point de frôler l'obsession. Peut-être qu'avoir des petits-enfants adoucirait son caractère bien trempé, à moins qu'elle ne devienne une grand-mère envahissante !

Fort heureusement, Juanita ne se laissait pas faire, mais Damien serait-il capable lui aussi de lui tenir tête ? A la réflexion, Juanita ne s'en laissait pas conter non plus par Damien et il se demanda si son tout nouveau beau-frère se rendait compte où il avait mis les pieds.

Cela étant, cela ne résolvait pas son problème. Comment pouvait-il faire oublier à Mia la cruauté de sa mère envers elle ? Et aussi sa maladroite demande en mariage, sans oublier le fait qu'il n'avait pas pris la peine de vérifier si elle allait bien, sept ans auparavant…

Elle avait certes réussi sa vie professionnelle, mais derrière la brillante façade se cachait une jeune femme peu sûre d'elle et traumatisée d'avoir été un jour étiquetée « fille de gouvernante ». Et manifestement la douleur était toujours présente.

Et qu'en était-il de l'irrépressible attirance qu'ils avaient ressentie l'un pour l'autre ? Peut-être que, pour elle, cela n'avait été qu'une amourette d'adolescente et pour lui un simple moment d'égarement dû à sa commotion cérébrale ? Mais dans ce cas, pourquoi éprouvait-il encore aujourd'hui l'envie de l'embrasser ? Et pourquoi avait-elle répondu avec une telle fougue à ses baisers ?

Les sourcils froncés, il examina son visage délicat. Dans son pyjama à rayures et les traits détendus, elle ne ressemblait en rien à la femme d'affaires efficace qu'elle était pourtant. Organiser des réceptions de cette envergure nécessitait des compétences certaines en matière d'organisation. Rien que la logistique — presque tout devait être acheminé de Sydney — exigeait un travail de titan. Sans parler de la clairvoyance qu'elle avait eue en devinant que la féerie de la montagne attirerait foule et que sa clientèle doublerait. Oui, en dépit de son air juvénile, elle était indubitablement une femme d'affaires accomplie.

Il s'étira et au même instant sentit son portable vibrer dans sa poche. Il le sortit et examina le numéro qui s'affichait à l'écran.

Nina…

Il le coupa et le remit dans sa poche.

La sulfureuse et époustouflante Nina, qui ravissait le cœur de tous les hommes et qui avait l'entière approbation de sa mère. Avec son physique de diva, un père honoré d'une précieuse charge d'ambassadeur et une tante issue de l'aristocratie britannique, elle avait tout pour plaire.

Et pourtant, Nina — qui pouvait aussi bien se montrer charmante et chaleureuse que froide et déterminée — manquait aussi singulièrement de confiance en elle.

Il observa les ombres que dessinaient les flammes sur le mur et écouta d'un air absent le bois crépiter dans le poêle.

Qu'allait-il faire au sujet de Nina ?

C'était elle qui avait décidé de rompre lors de la dispute qu'ils avaient eue juste avant le mariage de Juanita. Il ne se souvenait d'ailleurs même plus comment celle-ci avait commencé.

En fait, si. Certes pas l'élément déclencheur, mais la raison de leur dispute. C'était quelque chose qui couvait depuis un moment — depuis l'annonce du mariage de Juanita, en fait. La raison en était simple : Nina voulait elle aussi se marier, quelque chose qu'il répugnait à faire.

Malgré tout, il avait continué à la fréquenter, sachant qu'il aurait dû rompre. Il appréciait ses bons côtés et savait se détacher d'elle quand elle devenait impossible à vivre. Et après chaque dispute, elle revenait immanquablement vers lui. Il ne se faisait d'ailleurs aucune illusion quant à la raison de son appel. Mais pouvaient-ils continuer ainsi ?

Comme il baissait les yeux sur la jeune femme endormie devant lui, il se souvint de sa ridicule proposition. Comment avait-il pu être aussi stupide pour lui demander de prendre la place de Nina ? Pas étonnant qu'elle se soit mise en colère. Elle avait dû se sentir insultée.

Mais qu'est-ce qui l'avait poussé à agir ainsi ? Peut-être l'impression que contrairement à Nina, Mia ne s'accrocherait pas à tout prix à lui ? Qu'elle ne changerait pas d'humeur à tout instant, passant en quelques secondes de l'euphorie à la dépression ?

En vérité, si quelqu'un pouvait avoir connu des épisodes de dépression, c'était bien Mia. En raison du comportement odieux qu'avait jadis eu sa mère — et du sien.

3.

Un bruit persistant de chute d'eau réveilla Mia. Pelotonnée sous sa couette, elle se sentait si bien qu'elle répugnait à se lever et même à ouvrir les yeux.

Se pouvait-il qu'il pleuve ? Cela faisait déjà plusieurs jours qu'ils prévoyaient de la pluie…

Elle tendit l'oreille. Non, l'eau ne provenait pas de l'extérieur, mais de la douche.

Soudain parfaitement réveillée, elle ouvrit les yeux et se redressa sur son séant, tandis que les événements de la veille lui revenaient à la mémoire. Carlos était sous sa douche !

C'est alors qu'elle entendit la porte de la salle de bains s'ouvrir et vit apparaître Carlos, vêtu de son seul pantalon et se frottant énergiquement les cheveux avec une serviette.

— Bonjour, dit-il, un grand sourire aux lèvres. Aurais-tu par hasard un rasoir à me prêter ?

Elle secoua la tête en signe de dénégation.

— Tu devras donc me supporter ainsi ! Quelle boisson alcoolisée aimes-tu boire de bon matin ?

Elle écarquilla les yeux.

— *Pardon ?*

— Champagne ? Vodka et jus d'orange pressé ? Personnellement, j'ai un faible pour le Bloody Mary.

Lâchant sa serviette, il attrapa sa chemise.

— Tu m'as cru, n'est-ce pas ? dit-il en secouant la tête d'un air affligé. Pas étonnant que tu sois aussi méfiante si tu me crois capable d'une vie si dissolue ?

Mia fit de son mieux pour masquer sa surprise. Elle l'avait effectivement cru, l'espace d'un instant.

— Si tu voulais savoir par là si je prenais du thé ou du café, alors j'opte pour du thé. Sans sucre ni lait. Ainsi qu'une tranche de pain beurrée. Merci.

— C'est parti ! Cela dit, il y a des fois où sabler le champagne est une excellente façon de commencer la journée !

Malgré elle, Mia leva un sourcil interrogateur.

— Ah oui ? Quand ?

— Quand un homme et une femme ont passé une nuit mémorable et tiennent à la célébrer, dit-il, l'ombre d'un sourire au coin des lèvres.

Il laissa errer son regard sur sa silhouette d'une façon qui ne laissait planer aucun doute sur la manière dont il concevait de partager une nuit mémorable avec elle.

Tous ses sens en alerte, Mia se sentit rougir sous son regard de braise.

— Oh !

— Cela ne t'avait jamais traversé l'esprit, visiblement ! dit-il, une lueur espiègle dans le regard.

— Non.

L'esprit en tumulte, elle s'efforça de prendre sur elle.

— Ce n'est pas le comportement auquel on s'attend de la part de la fille de la gouvernante, répondit-elle d'un ton sec.

A ces mots, Carlos fronça les sourcils.

— Tu as un vrai complexe d'infériorité, n'est-ce pas, Mia ?

Après une brève bataille intérieure, elle se força à répondre.

— Oui, admit-elle, le feu aux joues. Mais je ne veux pas en parler. De plus, je dois me rendre à la salle de bains.

— Soit, murmura-t-il, posant la chemise qu'il tenait toujours à la main.

Et avant qu'elle n'ait eu le temps de protester, il la souleva sans effort, franchit les quelques mètres qui les séparaient de la salle de bains et la déposa sur le sol.

Contrariée, Mia serra les dents. Hélas, que pouvait-elle faire ?

Carlos était toujours torse nu quand elle sortit de la salle de bains, un peu plus tard. A sa vive surprise, une tasse de thé fumante, accompagnée d'une tranche de pain beurrée, l'attendait dans la cuisine. Sur le canapé était entreposée une pile d'habits — un jean et un T-shirt, ainsi que des sous-vêtements.

— Ne joue pas les pudibondes, surtout, déclara Carlos en la voyant fixer les sous-vêtements. Crois-moi, j'en ai vu d'autres dans la vie et ce ne sont pas quelques dessous qui vont me donner des idées lubriques.

— Ah !

— Qui plus est, je ne vois pas comment tu aurais pu grimper là-haut, ajouta-t-il d'un ton sans appel.

— Merci, monsieur O'Connor, dit-elle de sa voix la plus suave, tout en grimaçant intérieurement.

Interloqué, Carlos la dévisagea quelques secondes, puis baissa les yeux sur sa chemise. Soudain, il poussa un juron.

— Que se passe-t-il ? s'enquit Mia, la bouche pleine.

— Il y a encore des taches de sang sur ma chemise !

S'approchant de l'évier, il passa la manche sous l'eau.

— Sincèrement désolée, dit Mia d'une voix contrite.

Carlos haussa un sourcil interrogateur.

— Si une simple tasse de thé et une tranche de pain te font cet effet-là, je serais assez tenté de croire qu'un petit déjeuner complet ferait des miracles.

Levant les yeux de sa tasse, Mia s'apprêtait à répondre quand elle se figea. Le dos de Carlos était strié de marques sombres.

— Attends une minute, s'exclama-t-elle. Qu'est-il arrivé à ton dos ? Tu es couvert de bleus !

— Ah, ça ! C'est l'œuvre de ton affreux cheval !

Horrifiée, Mia porta la main à sa bouche.

— Mais… je t'avais pourtant prévenu !

— C'est bien ce que je lui ai dit, dit-il en passant une main dans ses cheveux, mais manifestement nous ne parlons pas la même langue !

Mia fut prise d'un fou rire incontrôlable.

— Je suis navrée, balbutia-t-elle. Je sais que cela n'a rien de drôle…

— On ne dirait pas, à te voir, grommela-t-il.

— Tu sais bien ce que je veux dire ! dit-elle, reprenant enfin son sérieux. Laisse-moi au moins t'appliquer une pommade.

Carlos s'approcha, une tasse de thé à la main.

— Ne t'inquiète pas pour ça. Montre-moi plutôt ton pied.

Encore secouée de rire, Mia tendit docilement son pied. Carlos défit le bandage et souleva avec délicatesse la compresse.

— Hmm… Ça saigne encore un peu. Ecoute, je vais rentrer chez mes amis pour me changer, puis je reviendrai te prendre pour t'emmener à la clinique la plus proche.

— Rien ne t'y oblige.

Il se leva pour aller chercher la trousse de premiers soins.

— Ne commence pas, Mia ! gronda-t-il par-dessus son épaule. A ce propos, il pleut.

Mia jeta un coup d'œil par la fenêtre et fit la grimace. Le ciel était sombre et il pleuvait des cordes.

— Grâce au ciel, aucune réception n'est prévue aujourd'hui.

— Certes, renchérit-il.

Ils demeurèrent silencieux pendant qu'il soignait son pied, puis elle s'exclama soudain :

— J'ai l'impression que nous passons notre temps à nous soigner l'un l'autre.

— Je pensais justement la même chose. L'histoire se répète.

— Qu'aurait… qu'aurait dit ton père si tu avais épousé une femme comme moi ?

Il la dévisagea, interloqué.

— Pourquoi une telle question ?

— Tu m'as dit que ton père passait son temps à te critiquer. Y avait-il une raison particulière à cela ?

Carlos haussa les épaules.

— Sans doute parce qu'il est parti de rien et a réussi à la force du poignet — contrairement à moi qui ai eu selon lui la vie facile et les moyens d'entreprendre ce que je voulais.

Songeuse, Mia hocha la tête.

— Cela ne veut pas dire pour autant que tu es incapable de réaliser des choses par toi-même. D'ailleurs, les faits l'ont prouvé, puisque tu as développé son entreprise au-delà de ses espérances.

— C'est vrai. Je doute cependant qu'il aurait été satisfait de mes prouesses, dit-il d'une voix songeuse. Il était si difficile à contenter ! Cela étant, je ne vois toujours pas le rapport entre mon père et nous ?

— Je me posais la question de savoir s'il t'aurait déshérité si tu avais épousé une femme dont il n'avait pas approuvé le choix ?

— Il n'aurait de toute façon jamais approuvé mon choix quelle que soit l'élue de mon cœur, commenta-t-il d'une voix dure, le regard perdu au loin.

— Pourquoi les gens deviennent-ils comme ça ?

— La lutte pour en arriver là les a sans doute endurcis, sans compter que leur ambition démesurée les pousse à se surpasser, dit-il en contemplant ses mains d'un air songeur. Pour en revenir à ta question, je ne pense pas *a priori* qu'il m'aurait déshérité. A cause de ma mère !

— Que veux-tu dire ?

— Elle ne l'aurait jamais laissé faire, expliqua-t-il. Vois-tu, ma mère a toujours pris ma défense envers et contre tous. La loyauté familiale est très importante à ses yeux.

Perdue dans ses pensées, Mia laissa son regard errer au loin.

— Que s'est-il exactement passé cette nuit-là, Mia ?

La voix profonde de Carlos la fit sursauter et coupa court à sa rêverie.

— Tu ne t'en souviens plus ? s'enquit-elle, incrédule.

— La seule chose dont je me souvienne est de m'être senti mal. Puis d'avoir été pris d'une irrépressible envie de te serrer dans mes bras, certain que cela m'aiderait à me sentir mieux. Ce qui a été le cas. Ensuite, j'ai ri, mais pourquoi ? Je ne sais plus et…

— Tu m'as traitée d'asticot, coupa-t-elle.

— *Comment ?*

— Tu m'as dit de cesser de gigoter comme un asticot.

Elle avait parlé d'un ton sec, mais en voyant l'expression de Carlos passer de la perplexité à l'incrédulité, puis se muer en franche hilarité, elle ne put s'empêcher de sourire.

— Je suis étonné que tu ne m'aies pas assommé, dit-il. Je le méritais bien ! J'espère au moins m'être excusé ?

— Tu m'as ensuite comparée à une sirène, puis tu m'as embrassée.

— Ça, je m'en souviens, dit-il, le regard attiré par sa bouche sensuelle. Mais après, c'est le néant…

Sous son regard perçant, Mia sentit aussitôt une onde de chaleur courir dans ses veines. Elle s'imaginait déjà en train de glisser les doigts dans ses cheveux souples et soyeux, puis d'effleurer de la main sa mâchoire volontaire. Quelle serait sa réaction ? Lui saisirait-il le poignet afin de déposer un baiser au creux de sa paume ? Déferait-il les boutons de sa veste de pyjama pour lui caresser les seins ?

A cette seule pensée, elle sentit ses tétons se dresser sous le fin tissu et le désir frémir au creux de son ventre. Horrifiée, elle se tortilla sur son siège et répondit avec précipitation :

— Il ne s'est rien passé d'autre.

Les sourcils froncés, il la scruta intensément.

— Vraiment ?

— Non. Tu t'es endormi et je suis restée allongée à côté de toi. Pour être honnête, je n'avais aucune envie de bouger et j'ai dû m'assoupir un moment car je n'ai pas entendu ta mère arriver.

Elle marqua une pause puis ajouta d'une voix hésitante :

— Pourquoi me demandes-tu ça ?

— Nous n'avons donc rien fait de plus que nous serrer l'un contre l'autre et nous embrasser ?

Elle le fixa, bouché bée.

— Pensais-tu que nous avions fait… plus ?

— Pas que je m'en souvienne, mais à te voir si affectée par ce qui s'est passé cette nuit-là, je me suis posé la question.

Mia prit une profonde inspiration.

— Tu penses que je fais tout un plat de rien ?

— Mais non, voyons ! dit-il en lui saisissant la main.

D'un tour de poignet, elle se dégagea de sa poigne et le foudroya du regard.

— Si, c'est ce que tu crois ! Oh ! ne peux-tu pas juste t'en aller et me laisser tranquille, Carlos O'Connor ? Quand je pense qu'un jour j'ai eu le béguin pour toi…

Elle se tut et porta la main à sa bouche. Qu'avait-elle dit ?

— Ne t'en fais pas pour ça, je le savais, dit-il en se levant.

Au même instant, quelqu'un frappa à la porte.

— Es-tu présentable, Mia ? s'enquit Bill James de l'extérieur. Je viens de rentrer et je passais voir si… Oh !

Il s'arrêta net quand Carlos ouvrit la porte à la volée.

Agé d'une soixantaine d'années et le teint hâlé par la vie en plein air, Bill était un homme de forte corpulence à qui son long nez aquilin conférait un air austère. Seuls ses cheveux blancs et ses épais sourcils broussailleux adoucissaient un tant soit peu l'expression de son visage.

D'un seul regard, il embrassa la scène qui s'offrait à sa vue : Mia en pyjama et Carlos sur le point de mettre son sweat-shirt.

— Je suis désolé, marmonna-t-il. Je ne m'attendais pas à… Je m'en vais.

— Je viens avec vous, s'empressa de dire Carlos. A tout à l'heure, Mia. Penses-tu pouvoir te débrouiller toute seule ?

— Oui, dit-elle, avant de poursuivre d'une voix doucereuse. Euh… mon cheval a besoin de manger. Cela t'ennuierait de le nourrir, Bill ? Fais juste attention à toi…

— Tu devrais te débarrasser de ce canasson, Mia, grommela Bill. Il est dangereux.

— Je suis entièrement d'accord avec vous, déclara Carlos.

Il tendit la main à Bill et se présenta, et les deux hommes partirent ensemble comme s'ils étaient les plus vieux amis du monde, fermant la porte derrière eux.

Mia demeura immobile un instant puis, saisie d'une rage incontrôlée, prit un oreiller et le lança de toutes ses forces contre le battant de la porte.

— Je n'arrive pas à croire que tu aies fait ça, dit Mia un peu plus tard, tandis que l'élégant coupé de sport s'engageait dans l'allée menant à la propriété et s'arrêtait dans un crissement de pneus devant le perron.

Carlos leva un sourcil interrogateur.

— Quoi ? T'avoir emmenée chez le médecin ? Aurais-tu préféré que je te laisse succomber à une hémorragie ?

Mia leva les yeux au ciel.

— Tu exagères !

— Pas tant que ça, rétorqua-t-il. La moindre pression sur ton pied faisait saigner la blessure.

Mia baissa les yeux sur son pied bandé. On lui avait fait des points de suture et donné une béquille.

— Je ne parlais pas de ça, bien que je te remercie de m'avoir accompagnée à l'hôpital. Je n'aurais pas pu conduire dans mon état. Mais que tu aies appelé Gail hier soir pour…

— Ecoute, Mia, coupa-t-il d'un ton ferme. Quand je suis venu boucler la maison hier soir, j'ai trouvé le numéro de téléphone de Gail, accroché bien en vue sur le mur de ton bureau, et j'ai pensé que plus tôt elle serait mise au courant de ton accident, mieux ce serait. J'allais t'en parler hier soir, mais quand je suis rentré tu dormais à poings fermés. Je ne vois pas où est le problème !

— Le problème est que Gail doit être en émoi à l'idée que tu as passé la nuit chez moi et doit s'imaginer tout un tas de choses folles ! En outre, la discrétion n'est pas son fort, donc j'imagine que tout le village est désormais au courant. Et Bill n'a rien à envier à Gail de ce côté-là, conclut-elle avec force.

— Quelle importance ? Toi et moi savons la vérité. C'est la seule chose qui importe et puis, à notre époque, les gens se soucient comme d'une guigne de la façon dont vivent les autres.

Là-dessus, il coupa le contact et descendit. Puis il contourna la voiture pour lui ouvrir la portière, la souleva ensuite dans ses bras et la porta dans la maison.

— Veux-tu que je te dépose dans ton bureau ?

— Oui, s'il te plaît. Ah, bonjour, Gail, ajouta-t-elle. Te souviens-tu de M. O'Connor ?

— Mia ! s'écria Gail en papillonnant autour d'eux. Est-ce que ça va ? Ravie de vous revoir, monsieur O'Connor. Venez, c'est par ici… J'ai fait du café. Je crois que nous en avons tous bien besoin !

Au cours du déjeuner, Mia demanda à Gail si elle se sentait capable de faire face à cette surcharge d'activité.

— Pendant quelques jours, tu devras t'occuper de mon travail en plus du tien, déclara-t-elle. Es-tu certaine de pouvoir t'en sortir ?

Gail hésita.

— Ma sœur Kylie pourrait peut-être nous aider. Elle n'a que quatorze ans, mais elle est pleine de bonne volonté. Je suis sûre qu'elle serait ravie de donner un coup de main, d'autant qu'elle est en vacances en ce moment.

— Kylie, mais bien sûr ! Quelle excellente idée ! Crois-tu que ta mère serait d'accord ?

— Sûre et certaine, répondit Gail en versant le thé. Euh… M. O'Connor a-t-il l'intention de revenir ?

— Il ne m'a rien dit à ce sujet. Ou plutôt, il ne m'a pas dit *quand* il comptait revenir.

Elle but une gorgée de thé avant de poursuivre.

— Au fait, Gail, je t'ai induite en erreur, hier. En vérité, mes parents travaillaient pour la famille O'Connor et c'est pour ça que j'étais au courant, pour Juanita et sa famille.

Gail reposa lentement la théière sur la table.

— Tu le connaissais, donc ?

— Oui, admit Mia, grimaçant intérieurement devant la lueur d'intérêt qui s'allumait dans le regard de Gail

Comme elle regrettait de s'être laissé embarquer dans cette voie ! Elle ne l'avait fait que par souci d'honnêteté et peut-être aussi pour clarifier la situation. Nul doute que Gail aurait une moins mauvaise opinion d'elle si elle savait que Carlos et elle étaient en fait de vieilles connaissances.

— Je n'étais que la fille de la gouvernante, reprit-elle, et je n'ai pas pensé un seul instant qu'ils me reconnaîtraient. C'est la raison pour laquelle…

Elle s'interrompit et haussa les épaules.

— … Carlos est revenu te voir après le mariage, conclut Gail pour elle. Quelle chance tu as eue, dis donc ! Pour ton pied, je veux dire…

Si seulement elle savait que c'était à cause de Carlos qu'elle s'était blessée, songea Mia en son for intérieur.

— Oui, quelle chance…, rétorqua-t-elle d'une voix crispée.

— Tu sais quoi ? Je pense qu'il reviendra souvent te voir.

Horrifié, Mia la dévisagea sans mot dire.

— Tu crois ? Oh ! je ne pense pas.

— Moi si, murmura Gail. Mais je n'en dirai pas plus…

— Gail ! Tu en as trop dit ou pas assez, s'écria-t-elle, agacée du ton mystérieux que son assistante avait employé.

— D'accord, si c'est ce que tu veux !

La jeune femme se leva, comme si elle pressentait qu'elle devait se tenir prête à fuir la vindicte de Mia.

— Le courant passe, entre vous deux.

— Comment ça ?

— Il y a de l'électricité dans l'air quand vous êtes

ensemble et j'ai remarqué qu'il adorait te soulever dans ses bras et te porter. Mais pas seulement. Il aime le fait que cela t'agace. Je le vois à la lueur espiègle de son regard.

Mia la dévisagea, bouche bée.

— C'est toi qui voulais savoir, protesta Gail.

— Oui. Non. Enfin, je pense que tu fais erreur, Gail. Je…

— Nous verrons, lança-t-elle par-dessus son épaule en sortant du bureau d'un pas guilleret.

Mia fixa la porte d'un regard torve, puis jeta un regard d'envie sur le dernier sandwich au saumon. Pourquoi ne pas le manger, après tout ? Enfin rassasiée, elle se renfonça dans son fauteuil et poussa un soupir à fendre l'âme. Elle se sentait d'humeur irritable.

Et le fait de sautiller sur une jambe, même avec l'aide d'une béquille, la faisait se sentir impuissante — un sentiment amplifié par sa réaction émotive exacerbée à la seule présence de Carlos.

Quel espoir avait-elle nourri vis-à-vis de Carlos durant toutes ces années ? En vérité, elle n'avait eu aucune attente. Toute cette histoire était arrivée par hasard et en toute franchise elle s'était même demandé si sa commotion cérébrale n'y avait pas été pour quelque chose. Cependant, l'idée qu'il puisse aussi la trouver à son goût lui avait néanmoins traversé l'esprit.

Puis avait eu lieu l'horrible confrontation avec Arancha et les longues semaines qui avaient suivi son départ de la propriété — semaines durant lesquelles elle avait tant espéré que Carlos vienne la retrouver pour lui dire qu'il l'aimait et voulait la chérir pour le restant de ses jours… Hélas, quand les semaines étaient devenues des mois, elle avait fini par perdre tout espoir et s'était même mise à… lui en vouloir ? Eh bien, non, si surprenant que cela puisse paraître. Elle s'en était plutôt voulue à elle-même de n'avoir pas su capter l'intérêt de Carlos et bien sûr elle s'était mise à vouer une haine farouche à sa mère.

Par la suite, quand elle eut enfin pris la décision de

cesser de s'apitoyer sur son sort et de recommencer à sortir et à s'amuser, les rares hommes qu'elle avait fréquentés l'avaient laissée de marbre. Nul doute que la faute de ses échecs successifs incombait à Carlos.

— Bien, je vais y aller, annonça Gail en entrant dans le bureau de Mia.

Mia hocha la tête. Carlos n'était pas encore de retour, mais il avait bien spécifié qu'il reviendrait passer la nuit pour lui tenir compagnie, aussi avait-elle demandé à Gail de préparer deux chambres dans la maison principale.

Gail lui avait lancé un regard oblique.

— C'est infiniment plus douillet dans ta maison, mais c'est toi qui vois…

— Oui, en effet, avait-elle répondu d'un ton sec.

— Je suis désolée de devoir partir avant le retour de Carlos, reprit Gail en agitant son trousseau de clés, mais tout est prêt pour demain et Bill est là au cas où tu aurais besoin de lui. Le déjeuner de demain n'est pas une grosse affaire, seulement trente personnes à table, et comme il s'agit de la sortie annuelle du club de jardinage, les clients seront ravis de déambuler dans les jardins et de s'extasier devant la beauté des lieux. Et n'oublie pas que Kylie me donnera un coup de main. Tu es sûre que ça va aller ?

— Mais oui, ne t'inquiète pas. J'ai amplement de quoi m'occuper. Merci pour tout, ajouta-t-elle avec un sourire. Je ne sais pas ce que je ferais sans toi !

Gail était aux anges.

Mia se renfonça dans son fauteuil. Elle écoutait le bruit du moteur décroître quand soudain elle se frappa le front. Seigneur, elle avait oublié de demander à Gail de nourrir Long John et de le rentrer pour la nuit. Quelle idiote !

L'instant d'après, elle tendit l'oreille. Une voiture remontait l'allée. Etait-ce Carlos ? Non, ce n'était pas le bruit si caractéristique du moteur de sa voiture. De fait, ce n'était pas Carlos qui lui rendait visite mais sa voisine, Ginny Castle, accompagnée de son fils, Harry, âgé de douze ans.

— Entre, Ginny ! lança Mia, en réponse à son coup de sonnette. Je suis dans le bureau.

Ginny, une jolie rousse, entra en parlant d'une voix animée, comme à son habitude.

— Je viens d'apprendre que tu avais des points de suture. Tu devrais quand même faire plus attention ! Enfin… J'ai pensé qu'en l'absence de Bill et de Lucy, nous pourrions prendre Long John chez nous le temps que tu te rétablisses. Harry peut le monter tout de suite pendant que je mets toutes ses affaires dans le coffre.

— Ginny, tu es un amour ! J'avais pensé demander à Gail de s'occuper de lui avant qu'elle ne parte, mais elle semblait pressée et en fin de compte j'ai oublié. En réalité, Bill est là, ajouta-t-elle, mais Long John et lui ne s'entendent pas.

— Aucun problème. Et toi, quelqu'un s'occupe de toi ?

— Oui, merci.

— Dans ce cas, nous ferions mieux de nous activer avant qu'il ne fasse nuit, dit-elle en poussant Harry devant elle.

— Fais attention, Harry, déclara Mia. Il peut mordre.

Echappant à la poigne de sa mère, Harry passa la tête par l'encoignure de la porte.

— Jamais avec moi, dit-il fièrement.

— Comment ça se fait ? s'enquit Mia, curieuse.

— Parce que la dernière fois qu'il a essayé, je lui ai rendu la pareille. A bientôt, Mia.

Mia riait encore quand le téléphone sonna. Elle répondit machinalement, mais, quand elle reposa le combiné quelques instants plus tard, elle était blême. Au bord de la nausée, elle se prit la tête à deux mains.

— Que se passe-t-il ?

La voix profonde de Carlos la fit sursauter. Plongée dans

ses pensées, elle ne l'avait pas entendu entrer. Il s'était remis à pleuvoir et Carlos se tenait sur le seuil, vêtu d'un jean et d'une veste en tweed, les cheveux trempés.

— As-tu mal quelque part ?

— Non, pas vraiment, admit-elle en se forçant à sourire. Juste un peu triste. Je viens d'apprendre que j'étais sur le point de perdre Bellbird. Je savais que c'était inéluctable, mais…

Carlos saisit un gilet sur le dos d'une chaise et le lui tendit sans un mot.

— Qu'est-ce qui se passe ? s'enquit-elle d'un air étonné. Je n'ai pas froid, en tout cas pas encore.

— Au cas où. Nous sortons, précisa-t-il.

— Désolée, mais je n'ai pas envie de sortir ce soir, maugréa-t-elle, se sentant meurtrie au plus profond d'elle-même. Ce n'est pas toujours toi qui mènes le bal, Carlos.

— Nous sortons dîner, que cela te plaise ou non ! riposta-t-il. D'ailleurs, je ne vois pas en quoi cette idée te déplaît. Tu n'es pas en état de faire la cuisine et je suis un parfait béotien en la matière.

— Pourtant, hier soir…

— Oh ! je sais utiliser le micro-ondes, dit-il en balayant ses protestations d'un geste de la main. Cependant, j'aimerais manger quelque chose d'un peu plus copieux ce soir, comme un steak tendre et juteux, accompagné de frites, de champignons et d'une salade — iceberg, de préférence. Puis je prendrai du fromage et pour finir quelque chose de sucré et de léger, comme une tarte au citron meringuée, suivie bien sûr d'un bon café.

Les mains posées de part et d'autre de son bureau, il soutint son regard.

— La tarte à la meringue est une spécialité de ma mère…

Ce fut tout ce que Mia trouva à dire.

— Sans doute, mais elle habite un peu loin d'ici pour que nous envisagions de lui rendre visite. En revanche, nous pourrions pousser jusqu'à Blackheath, dit-il en se redressant. Il pleut encore. Veux-tu que je te porte jusqu'à la voiture ?

— Non, répondit-elle avec précipitation en tendant la main pour saisir sa béquille. Je peux me débrouiller toute seule.

Comme elle levait les yeux, elle surprit une lueur amusée dans le regard de Carlos et rougit au souvenir des paroles de Gail.

— Bien.

Il l'observa encore quelques instants, puis tourna les talons pour ouvrir la voie.

Il l'emmena dîner dans un charmant petit restaurant de Blackheath, mais, quand il lui demanda de choisir son plat, elle ne sut que répondre et fixa le menu d'un air absent.

— Dans ce cas, je commanderai pour toi, murmura-t-il.

L'instant d'après, il avait commandé un steak et des frites pour lui et une omelette aux herbes pour elle, le tout accompagné d'une bouteille de rosé.

Contre toute attente, Mia se découvrit un appétit féroce et fit honneur à son plat.

— Je ne savais pas que j'avais si faim ! dit-elle, surprise.

Carlos avala une dernière bouchée et posa sa fourchette.

— Comment était-ce ? poursuivit-elle. Aussi succulent que tu espérais ?

— Je crains d'avoir été quelque peu emporté par mon enthousiasme, admit-il, mais ça allait. Alors, tes deux septuagénaires n'ont pas l'intention de renouveler ton bail ?

— Non. Elles ont transmis la gestion de leurs affaires à leur neveu et lui ont également donné procuration permanente, dit-elle en triturant sa serviette d'un geste nerveux. Il n'a pas perdu de temps puisqu'il a déjà mis Bellbird en vente.

— Je suis désolé…

Pensive, Mia saisit son verre entre ses mains et fit lentement tourner le liquide rosé.

— Ce n'est pas le seul problème, finit-elle par dire. Dans le bail que j'ai signé, j'ai demandé qu'un préavis de six mois me soit accordé, arguant du fait que cela m'était nécessaire pour honorer les contrats déjà établis. Et six mois, ce n'est pas très long, certains de mes clients voulant louer d'une année sur l'autre, et la plupart des mariages sont prévus neuf mois, voire un an à l'avance.

— Tu vas donc devoir annuler les engagements de réservation pris au-delà des six prochains mois ?

Elle secoua la tête.

— Je ne prends jamais de réservation à plus de six mois. En revanche, j'ai en beaucoup à moins de six mois. Le problème est que le neveu a l'intention de contester mon préavis.

Carlos plissa les yeux.

— A-t-il des arguments valables ?

— Je ne sais pas, soupira Mia. Il prétend que ses tantes n'avaient pas toute leur tête quand elles ont signé le bail et que j'en ai profité, abusant de leur faiblesse. Je crois… enfin, j'ai l'impression qu'il a des problèmes financiers et qu'il compte les résoudre en vendant Bellbird.

— N'est-ce pas plutôt lui qui abuse de la faiblesse de ses tantes ?

— Cela m'a traversé l'esprit, admit-elle. L'idée d'intenter un procès ne me tente guère, mais je n'aurai sans doute pas le choix. Je peux moi-même être poursuivie en justice si je n'honore pas mes engagements.

Carlos posa sa serviette sur la table.

— Sinon, penses-tu pouvoir trouver autre chose qui te permette de te lancer de nouveau dans la course ?

Mia secoua la tête.

— En vérité, tout ceci me fait très peur et je ne suis pas certaine d'arriver à y faire face. Mais je me débrouillerai, d'une manière ou d'une autre.

— Ces derniers jours n'ont pas été très plaisants, n'est-ce pas ?

— Effectivement, renchérit-elle d'une voix morose.

Saisissant ses cheveux d'une main, elle les noua en une tresse serrée qu'elle rejeta derrière son épaule.

— Oh, non, protesta-il, ne fais pas ça ! J'aime voir tes cheveux détachés, au contraire.

Mia leva les yeux et croisa son regard incandescent. Aussitôt elle sentit son pouls s'accélérer, tandis qu'une délicieuse sensation se répandait dans ses veines. Seigneur, comme ce serait tentant de chercher le réconfort et la consolation dans ses bras et de céder ainsi à un désir longtemps réprimé ! Elle devait coûte que coûte rompre le charme, avant de se noyer dans le gris de ses prunelles.

Détournant le regard, elle s'efforça de se ressaisir.

— Mia…, dit Carlos dans un souffle.

— Parle-moi un peu de Nina.

Aussitôt, elle se fustigea d'avoir abordé un tel sujet, puis haussa les épaules. Pourquoi ne poserait-elle pas de questions sur Nina, après tout ?

— Inutile de me regarder comme ça, ajouta-t-elle.

Il leva un sourcil interrogateur.

— Et comment est-ce que je te regarde ?

— Comme si ma question était ridicule, précisa-t-elle.

— Sans doute parce que je ne vois pas le rapport, dit-il avant de se tourner pour remercier la serveuse qui apportait le café.

La jeune femme s'empourpra et trébucha en s'éloignant.

Cette fois, ce fut au tour de Mia d'exprimer son dédain en levant les yeux au ciel… avant de reporter sa colère sur Carlos.

— Tu ne vois pas le rapport ? Alors, permets-moi de mettre les choses au clair : tu viens à peine de rompre avec Nina French que tu cherches déjà à… que tu es…

Elle se tut, impuissante à poursuivre.

— … terrassé par l'envie de te prendre dans mes bras ?

Se penchant en avant, il posa un coude sur la table et appuya son menton sur sa paume.

— C'est drôle, mais le désir que j'ai pour toi est sourd à toute objection. Il est incontrôlable, en somme, si tu vois ce que je veux dire.

Déconcertée, Mia fronça les sourcils.

— Non… je ne vois pas bien ce que tu veux dire, dit-elle d'une voix incertaine.

— C'est pourtant simple. Depuis le jour où j'ai été à moitié assommé par une branche, j'ai eu envie de toi. Dans mon lit, précisa-t-il, pour écarter tout malentendu. Et quelle que soit par ailleurs ma situation personnelle…

Longtemps, Mia demeura immobile, puis elle poussa un soupir d'exaspération et se leva.

— Tu es insupportable ! En fait, je crois que tu es fou, Carlos O'Connor. A t'entendre, on croirait que toi et moi vivons dans une bulle, un peu comme si notre relation était *imaginaire*, soutint-elle avec force.

Le silence entre eux s'éternisa jusqu'à ce que Mia le rompe.

— Voilà pourquoi je veux que tu me parles de ta relation avec Nina. Est-elle réelle, pour toi ?

Quand il se leva à son tour, Mia fut frappée de voir à quel point son visage était devenu sombre.

— Entre Nina et moi, c'est fini. Je n'aurais jamais dû laisser les choses aller si loin, mais ce qui est fait est fait. Désormais, mon souhait le plus cher est qu'elle trouve quelqu'un qui l'aime et la comprenne infiniment mieux que moi et qui prenne soin d'elle, même quand son comportement versatile rend les choses… difficiles.

Eberluée, Mia cligna plusieurs fois des yeux et s'assit.

Les traits tendus, Carlos la dévisagea, puis s'assit à son tour.

— Pardon, dit Mia d'un ton radouci. Je ne me rendais pas compte à quel point tout ça était douloureux pour toi.

— Douloureux ? dit-il, le regard perdu dans son verre. Si seulement je pouvais mettre des mots sur ce que je ressens !

Mia ouvrit la bouche pour répondre, mais se ravisa, décidant qu'il valait mieux garder ses pensées pour elle.

— On devrait peut-être y aller, non ? s'enquit-elle timidement. Il n'y a plus que nous dans le restaurant et ils ont sans doute envie de fermer. Laisse-moi juste aller me rafraîchir…

— Bien sûr.

Il demanda l'addition et, quand Mia revint quelques minutes plus tard, il l'aida à parcourir les quelques mètres qui les séparaient de la voiture. Il pleuvait toujours.

— Zut ! s'écria Mia, comme la voiture prenait de la vitesse.

Carlos lui lança un regard interrogateur.

— J'ai un déjeuner prévu demain — la sortie annuelle d'un club de jardinage. Ils sont très désireux de voir les jardins de Bellbird.

— Demain est un autre jour, répondit-il avec sagesse.

Mia sourit.

— C'est vrai, concéda-t-elle, mais je doute que le temps s'améliore d'ici à demain. A ce propos, Gail a préparé deux chambres pour ce soir dans la maison principale.

— Oh ! coupa-t-il. Ne te l'ai-je pas dit ? J'ai pris d'autres dispositions pour ce soir. Gail viendra te tenir compagnie, après sa réunion.

Mia le fixa, bouche bée.

— Non, tu ne m'as rien dit. Pas plus que Gail, d'ailleurs.

— Elle ne le savait pas quand elle t'a quittée, tout à l'heure. Cela s'est décidé assez tard, expliqua-t-il en lui lançant un regard oblique. Je ne pensais pas que cela te dérangerait.

— Je… eh bien…

— Tu sembles contrariée, ce qui j'avoue me surprend un peu au vu de ce qui s'est passé hier soir.

Mia serra les dents.

— C'est juste que j'aime savoir ce qui se passe. Quand as-tu contacté Gail ?

— Il y a cinq minutes, pendant que tu…

— *Comment* as-tu eu son numéro ?

— Je l'ai appelée hier soir, tu t'en souviens ? J'ai donc son numéro programmé dans mon portable. Autre chose ? s'enquit-il d'un ton ironique en engageant la voiture dans l'allée qui menait à la propriété.

Mia le dévisagea, perplexe. De fait, il y avait bel et bien une question qui la taraudait.

— Pourquoi ce changement soudain de programme ?

— Je dois renter à Sydney ce soir. Les affaires… Oh ! s'exclama-t-il soudain, j'ai oublié Long John. Bon, je vais m'occuper de lui avant…

— Ce n'est pas la peine, affirma Mia.

— Mais tu ne peux tout de même pas l'affamer ! Il risque de devenir encore plus méchant !

— Ne t'inquiète pas pour ça. Je l'ai mis en pension chez des amis et leur fils s'occupera de lui.

— En espérant qu'il ne se fera pas mordre lui aussi, s'écria-t-il, horrifié. D'ailleurs, comment peux-tu avoir la certitude que cela ne se produira pas ?

— Parce que cela s'est déjà produit et que le jeune garçon l'a mordu en retour, expliqua-t-elle, avant d'éclater de rire.

Carlos lui lança un regard étonné.

— Je suis désolée, finit-elle par dire en reprenant peu à peu son sérieux, mais la journée a été longue et difficile. Et n'essaye surtout pas de me porter, je peux très bien me débrouiller seule. Amuse-toi bien à Sydney !

Là-dessus, elle lui tapota le bras d'un geste amical et sortit avec peine de la voiture en s'appuyant sur sa béquille.

— Qu'y a-t-il de si drôle ? s'enquit Gail en accueillant Mia à la porte. Tu pleures ou tu ris ?

— Je ne sais pas, dit Mia en s'essuyant le visage de la

main. En fait, si… Tu avais raison, Gail, c'est beaucoup plus douillet chez moi. Pourquoi n'irions-nous pas là-bas ? Nous pourrions faire une bonne flambée et boire un verre. Comme disait quelqu'un que je connais : « Quel est l'intérêt d'être à la fois sobre et vertueux ? »

Mia s'installa tant bien que mal dans la voiture de Gail.

— Non que je sois sobre ; j'ai déjà bu un verre de vin. Cela étant, je n'ai peut-être pas grand-chose à t'offrir.

— Heureusement que tu peux toujours compter sur moi !

Après avoir pris place derrière le volant, Gail sortit une bouteille de vin de son sac.

— Je ne sais pas pourquoi, mais j'ai pensé à prendre ceci avec mon pyjama, ajouta-t-elle avec un grand sourire.

— Gail, tu es formidable ! s'exclama Mia en se penchant pour déposer un baiser sur sa joue. Tu n'imagines même pas la journée que j'ai eue ! Au fait, j'ai une mauvaise nouvelle à t'annoncer.

— Attends, dit Gail en roulant en direction de la chaumière. Je suis un peu au courant de la situation…

— Comment ? Ne me dis pas que Carlos t'a tout raconté !

Gail opina.

— Il m'a dit que tu risquais de te sentir un peu fragilisée et que je devais prendre soin de toi jusqu'à son retour.

Mia la dévisagea, les yeux écarquillés.

— Il a vraiment dit ça ?

— Oui, répondit Gail d'un ton neutre.

Elle les conduisit devant le perron, se gara, coupa le contact et éteignit les phares.

— Il prend sur lui le fardeau des autres, murmura Mia, aux prises avec une émotion qu'elle avait du mal à cerner.

Etait-ce de la colère devant la manière dont il s'immisçait dans sa vie ? Ou un sentiment d'impuissance ? A moins que dans le tréfonds de son cœur, une petite voix lui souffle à quel point ce serait formidable de s'appuyer sur Carlos pour qu'il l'aide à reprendre confiance en elle.

— Si je savais que Carlos O'Connor était de mon côté

et pensait à moi, dit Gail d'une voix sentencieuse, presque comme si elle pouvait lire dans ses pensées, je ferais preuve d'un peu plus de gratitude, Mia. Maintenant, si tu voulais bien entrer pour qu'on puisse se réchauffer…

4.

Le lendemain, le soleil était au rendez-vous et, grâce à l'aide combinée de Gail et de sa sœur Kylie, le déjeuner organisé pour le club de jardinage fut un franc succès.

Mia passa une bonne partie de la journée dans son bureau, au téléphone ou à travailler derrière son ordinateur. Elle avait mal dormi, le souci de perdre Bellbird et la certitude que Carlos était toujours amoureux de Nina l'ayant tenue éveillée la majeure partie de la nuit.

Tenter d'obtenir un conseil juridique en même temps que trouver un lieu pouvant répondre à ses besoins n'était pas une sinécure et ne fit rien pour lui remonter le moral. Certes, il lui restait encore vingt-quatre heures avant de donner sa réponse au nouveau propriétaire de Bellbird, mais elle n'arrivait toujours pas à se décider si elle devait ou non saisir la justice pour demander réparation.

En fin d'après-midi, une fois les derniers clients partis, elle décida d'aller prendre l'air dans le jardin. Elle sautilla jusqu'à un banc et s'assit. Le soleil réchauffait agréablement sa peau de sa douceur estivale. Elle portait une jolie robe légère vert émeraude de la même couleur que ses yeux, et ses cheveux étaient noués en queue-de-cheval.

Les jardins étaient magnifiques. La pluie avait ravivé les couleurs chaudes des feuillages, des abeilles et des libellules butinaient autour des fleurs qui dégageaient une senteur parfumée, douce et délicate. Emue aux larmes par ce spectacle idyllique, elle ferma les yeux pour mieux s'imprégner de la magie des lieux.

Ce fut le bruit du moteur de la voiture de Carlos qui la tira de sa rêverie. Ouvrant les yeux, elle vit celle-ci s'arrêter devant le perron. Puis Carlos en descendit, s'étira et disparut à l'intérieur de la maison.

Aussitôt, elle sentit les battements de son cœur s'accélérer. En dépit de ses propres soucis, elle n'avait cessé de penser à la relation qu'entretenait Carlos avec Nina. D'après ce que celui-ci lui avait révélé la veille, elle avait l'impression qu'ils ne pouvaient vivre ni ensemble ni séparés — une relation faite de ruptures et de réconciliations qui ressemblait certes à un champ de bataille et qui apportait son lot de souffrances, mais qui d'un autre côté leur procurait un bonheur qu'ils n'avaient jamais trouvé ailleurs.

Quoi qu'il en soit, sa propre idylle avec Carlos semblait bien triviale, en comparaison. Elle devait l'oublier. Il n'était pas pour elle et ne l'avait jamais été.

Perdue dans ses pensées, elle leva la tête en percevant un bruit de verres qui s'entrechoquaient. Carlos se dirigeait vers elle, un plateau dans les mains.

Avec ses bottes, son jean et sa chemise à rayures bleues et blanches dont les manches, roulées jusqu'au coude, faisaient ressortir son bronzage, il était d'une beauté à couper le souffle. Elle ne put s'empêcher de détailler avec gourmandise ses cheveux d'un noir de jais, sa peau mate, son corps mince et ses épaules larges…

— Salut ! dit-elle d'un ton faussement désinvolte. Ravie de te revoir, mais si c'est de l'alcool que tu as là, je crois que je ferais mieux de m'abstenir.

— Gail m'a dit que vous aviez bu une bouteille entière à vous deux hier soir, dit-il, un léger sourire aux lèvres. Non, rassure-toi, ce n'est que du jus d'orange pressé.

Il posa le plateau sur une table basse en fer forgé, puis s'assit à côté d'elle sur le banc.

— Comment va ton pied ?

— Ça va. Je commence à m'habituer à la béquille… Je n'étais pas certaine que tu reviendrais, ajouta-t-elle d'une voix hésitante. Tu n'étais pas obligé, d'autant que je suis bien entourée ici.

— Tant mieux.

— Merci quand même pour l'aide que tu m'as apportée, balbutia-t-elle. Je ne veux pas avoir l'air ingrate.

Il eut l'air perplexe.

— Ingrate ?

— C'est ce que Gail m'a reproché, précisa-t-elle.

— Ainsi, Gail te donne des cours de tact et de diplomatie ?

Agacée, Mia le dévisagea longuement.

— Je te disais seulement que j'étais reconnaissante de toute l'aide que tu m'as apportée, dit-elle en détachant chaque syllabe. Rien de plus.

— Parfait, dit-il en lui tendant un verre de jus de fruits. Quel endroit splendide. On est bien ici, n'est-ce pas ?

— Oui, soupira-t-elle. Tu entends les méliphages ?

Il tendit l'oreille.

— Oui. Comment s'est passée ta journée ?

Mia poussa un profond soupir.

— Pas terrible, je dois dire. Je n'arrive pas à me décider si je dois aller devant les tribunaux ou pas.

— Alors, j'ai peut-être de bonnes nouvelles pour toi, dit-il d'une voix enjouée. Je l'ai achetée.

— Acheté quoi ?

— Bellbird.

Mia s'étrangla. Puis elle se tourna lentement vers Carlos, le visage blême et les yeux écarquillés de stupeur. Même les oiseaux s'étaient arrêtés de chanter, comme s'ils pressentaient qu'un drame se jouait sous leurs yeux.

— Tu l'as *achetée* ? dit-elle d'une voix éraillée par l'émotion. Mais pourquoi ?

Il se pencha en avant, les mains entre ses genoux.

— Pour que tu puisses rester ici, entre autres. Tu pourras ainsi continuer à louer la propriété aussi longtemps que tu le souhaites. Mais ce n'est pas la seule raison. J'ai dans mon esprit l'image d'une jeune femme, habillée d'une longue robe blanche, portant à la main un chapeau de paille et prenant plaisir à jouer à la châtelaine. Une jeune femme avec de longs cheveux noirs et des yeux vert émeraude. Attends, murmura-t-il, comme Mia montrait des signes d'impatience. Laisse-moi finir…

Il sembla réfléchir un instant.

— Une jeune femme que j'ai toujours admirée et…

— Et pour laquelle tu as toujours éprouvé de la pitié, coupa Mia d'une voix étranglée. S'il te plaît, n'en dis pas plus.

Carlos posa la main sur son genou.

— Non, Mia, je n'ai jamais éprouvé de pitié envers toi. Tu es une femme forte qui ne suscite pas la pitié. En revanche, je tiens à rembourser mes dettes.

— Tu ne me dois rien, riposta-t-elle.

— Si. Par la faute de ma mère et de la mienne, tu as vécu l'enfer ! Et je tenais aussi à m'excuser de la façon cavalière dont j'ai décrit l'attirance que j'éprouvais pour toi.

Médusée, Mia cligna des yeux.

— Et tu as raison, ajouta-t-il. Il y a bien quelque chose d'irréel dans notre relation.

Mia grimaça intérieurement. Pourquoi sa remarque la faisait-elle autant souffrir ? Ne s'était-elle pas dit seulement quelques minutes auparavant qu'il n'était pas pour elle ? L'esprit en tumulte, elle repensa à Bellbird.

— Je n'arrive pas à croire que tu aies acheté cette maison…

Il haussa les épaules.

— Qui n'en voudrait pas ? C'est un petit bijou. En outre, poursuivit-il d'une voix dure, il n'y a pas grand-chose que je puisse faire pour contrecarrer les plans d'un neveu avide d'extorquer ses tantes, mais j'ai néanmoins spécifié dans l'acte de vente que je reprenais ton bail à mon compte et que je baissais le prix de vente en conséquence.

— Je ne sais pas quoi te dire, murmura Mia. Pourtant, j'aurais préféré que tu ne le fasses pas.

Les mots avaient franchi ses lèvres par inadvertance, mais ils reflétaient bel et bien ses pensées, se rendit-elle compte.

— Pourquoi ?

— Je me sens redevable, répondit-elle, entrelaçant les doigts en un geste nerveux. Sans parler du fait que cela me met dans une position intenable.

— Comment ça ?

Sa voix avait pris un ton froid et distant.

— Sachant que tu as acheté Bellbird à cause de moi, je vais me sentir obligée de faire tes quatre volontés — ne serait-ce que par simple gratitude.

— Loin de moi cette idée ! s'écria-t-il avec véhémence. Ne me dis pas que tu crois que j'ai agi ainsi dans l'intention de te faire chanter ?

Elle ne dit mot.

— Ceci étant, poursuivit-il au bout d'un moment, si tu veux t'en aller, libre à toi. Je t'accorderai tes six mois de préavis pour que tu puisses honorer tes contrats et puis… nos chemins se sépareront. Au moins, j'aurai eu la certitude d'avoir fait mon maximum pour compenser un tant soit peu le mal que je t'ai fait, il y a sept ans.

Des éclairs dans les yeux, Mia se leva d'un bond et tomba dès que son pied toucha le sol. Aussitôt, Carlos l'aida à se relever et la serra dans ses bras tandis qu'elle se débattait.

— Holà ! On se calme…

Il lui tendit sa béquille, puis posa les mains sur sa taille le temps qu'elle recouvre son équilibre. Puis, à sa vive contrariété, il ramena en arrière une mèche de ses cheveux qui avait glissé sur sa joue et ajusta le col de sa robe.

— Je vois ce que tu veux dire, pour la béquille, commenta-t-il. Non seulement tu n'as qu'une jambe, mais aussi une seule main de disponible. Ce doit être handicapant.

Après l'avoir aidée à s'asseoir, Carlos prit place à son tour sur le banc et but son verre d'un trait.

— Allez, vide ton sac, dit-il d'une voix doucereuse.

— Ne crois pas que je ne te suis pas reconnaissante…

— Et c'est reparti ! soupira Carlos. Gail est apparemment un excellent professeur.

— D'accord, s'écria Mia, le visage baigné de larmes. Si tu veux tout savoir, je ne pardonnerai *jamais* à ta mère le mal qu'elle m'a fait, pas plus qu'à toi de n'avoir pas cherché à me voir, ne serait-ce que pour me dire que nous n'avions pas d'avenir ensemble…

— Mia…

Elle le fit taire d'un geste de la main.

— Et je ne pardonnerai jamais non plus à ta mère de m'avoir une fois encore traitée avec condescendance, le jour du mariage. Quant à ceci, ajouta-t-elle en désignant la propriété d'un geste de la main, je ne peux hélas rien y faire. Mais si je décidais de rester, je me sentirais encore plus mal parce que rien n'aura changé. Comprends-tu ?

— Très bien, dit-il d'un ton sec.

Il se leva et posa les verres sur le plateau.

— Néanmoins, je te conseille vivement de rester ici pendant les six prochains mois. En effet, les procès pour rupture de contrat coûtent une fortune. Ne t'inquiète pas, je ne te dérangerai pas.

Le visage ruisselant de larmes, Mia tremblait de tous ses membres.

— Ecoute, je suis désolée si… si…

— Aucune importance, coupa-t-il. Il est préférable de savoir à quoi nous en tenir… Tiens, prends ta béquille.

Mia le dévisagea, interloquée.

— Pourquoi ?

— Pour que je puisse te porter, même si c'est sans doute pour la dernière fois.

Là-dessus, il la souleva sans effort et se dirigea vers la maison.

Serrée contre son torse puissant, ferme et viril à la fois, Mia se laissa submerger par une agréable sensation de bien-être. La tête blottie contre son épaule, elle sentait la chaleur de son corps l'envelopper délicieusement, et ressentit aussitôt une violente bouffée de désir.

Inconscient de son trouble, Carlos la déposa sur le seuil, attendit qu'elle reprenne son équilibre puis, emprisonnant son visage d'une main, l'embrassa.

— Prends soin de toi, Mia, murmura-t-il, avant de se détourner et de se diriger vers sa voiture sans un regard en arrière.

L'instant d'après, Gail sortit de la maison et lui entoura les épaules de son bras dans un geste de réconfort. Côte à côte, les deux femmes regardèrent le coupé sport de Carlos s'éloigner dans un nuage de poussière, puis Gail l'entraîna dans la maison.

5.

Six semaines plus tard, Mia était assise dans son bureau quand le téléphone sonna. L'instant d'après, elle reposait avec lenteur le combiné sur son socle et fixait pensivement le mur, l'esprit en effervescence.

Elle se trouvait toujours à Bellbird, ayant décidé après mûre réflexion et après avoir demandé conseil à un avocat d'écrire à Carlos pour accepter les six mois de préavis qu'il lui accordait. En retour, elle avait reçu une simple lettre d'acceptation, écrite et signée par sa secrétaire.

Gail passait devant la porte, les bras chargés de nappes, quand elle s'arrêta net à la vue de Mia et lui lança un regard interrogateur.

— C'était Carol Manning au téléphone, expliqua Mia d'un ton inquiet.

Gail attendit quelques instants, puis demanda :

— Suis-je censée connaître cette personne ?

— Euh… Pardon, non, répondit Mia, tapotant le bureau de la pointe de son stylo. Carol est la secrétaire de Carlos O'Connor.

Gail entra dans la pièce et posa d'un geste brusque les nappes sur une chaise.

— Qu'est-ce qu'il veut encore, celui-là ?

— Un déjeuner pour quarante personnes pour la semaine prochaine. Il organise une conférence les deux jours précédents et veut clôturer la session par un déjeuner gastronomique.

— Il ne t'a pas avisée longtemps à l'avance, marmonna Gail. Il a eu de la chance que ta journée soit libre.

— Il avait prévu autre chose au départ : une croisière dans la baie, je crois. Hélas, les prévisions météorologiques annoncent des précipitations et des rafales de vent à Sydney, à cause d'une dépression côtière, apparemment. Ici, le beau temps devrait persister. Cela dit, je ne comprends toujours pas pourquoi il n'a pas choisi un autre endroit.

— Pourquoi le ferait-il alors qu'il est propriétaire d'une des plus jolies demeures du pays ?

— C'est vrai, concéda Mia. Mais j'aurais quand même préféré qu'il aille ailleurs.

— Ça, je peux te comprendre. Surtout après la façon dont les choses se sont terminées entre vous deux. Je n'ai jamais posé de questions, mais j'ai bien vu que tu étais bouleversée.

— Je sais et je ne t'en remercierai jamais assez. C'est juste que… je ne sais pas si j'aurais le courage de l'affronter.

— Tout ira bien, tu verras ! Et puis, tu ne marches plus avec une béquille, au moins…

Elle hésita un moment, puis s'assit en face de Mia.

— Voici ce que je te propose, dit-elle d'une voix de conspiratrice : nous allons leur offrir une prestation d'une qualité si exceptionnelle qu'ils vont être époustouflés et se souviendront longtemps de toi. Y a-t-il un thème à cette conférence ?

— Les chevaux, répondit Mia. La société O'Connor envisage de construire un centre équestre comprenant des écuries, des pistes de course, des manèges, un hôpital vétérinaire, des piscines, et ainsi de suite… Par conséquent, il y aura une grande variété de personnes présentes à cette conférence, du vétérinaire au propriétaire de chevaux de course, en passant par les entraîneurs et les jockeys — tous passionnés par le monde hippique.

— J'aime beaucoup les chevaux, fit remarquer Gail.

— Moi aussi, renchérit Mia en mordillant le bout de

son crayon. Gail, tu es géniale ! Grâce à toi, je viens d'avoir une idée extraordinaire.

— Ah bon ? Quoi ?

— Tu ne le sais peut-être pas, mais l'une des courses de chevaux les plus célèbres du monde est le Kentucky Derby.

— Si, je le savais.

— Bien, dit Mia en pianotant à toute vitesse sur le clavier de son ordinateur. C'est une course chargée de traditions. On y sirote des mint julep, on y déguste du burgoo…

— Je sais ce qu'est le mint julep, coupa Gail, mais qu'est-ce que le burgoo ?

— Une sorte de ragoût composé de bœuf, de poulet, de porc et de crudités, lut-elle sur l'écran. Avant la course, une chorale interprète la chanson de Stephen Foster, *My Old Kentucky Home*. Sans oublier les roses, bien sûr…

— Ce ne sont pas les roses qui manquent ici, coupa Gail.

— Je sais, rétorqua Mia en songeant à la multitude de roses qui embaumaient la roseraie. La tradition veut que le vainqueur soit drapé d'une couverture tissée de cinq cent cinquante-quatre roses. Il ne sera peut-être pas nécessaire d'en avoir autant, mais nous aurons besoin d'un cheval.

— Pas d'un vrai, tout de même ! Et certainement pas Long John. Il serait capable de mordre tout le monde !

— Non, répondit Mia, même si je n'ai pas encore trouvé comment le remplacer. A part ça, que penses-tu de l'idée de leur servir des mint julep, accompagnés de burgoo préparé selon la recette traditionnelle ?

Gail eut l'air surprise.

— Ne crois-tu pas que leur servir des mint julep soit un peu risqué ?

— Ils viennent tous en autocar, donc nous n'avons pas de souci à nous faire concernant l'alcool au volant. Maintenant, il nous faut un cheval. Où donc trouver cette perle rare ?

— Ma mère en a un : un magnifique cheval à bascule de bois, immense et en excellent état. C'est un véritable objet d'art qui fait sa joie et sa fierté.

— Oh, Gail, crois-tu qu'elle nous le prêterait ?
— Il suffit de lui demander. De quoi d'autre as-tu besoin ?
— La chanson de Stephen Foster, mais cela ne devrait pas poser de problème.
Mia se redressa sur son siège, tout excitée.
— Allez, au travail ! Nous avons du pain sur la planche.

— Cinq cent cinquante-quatre roses ? s'écria Bill James, d'un ton incrédule. Tu es tombée sur la tête, Mia ?
— Si tu me laissais finir au moins, dit Mia d'un ton légèrement agacé. Je disais que c'est le nombre de roses utilisées lors du Kentucky Derby pour décorer la couverture du vainqueur.
— Si tu veux mon avis, ces gens-là sont aussi cinglés que toi, bougonna Bill. Toutes ces roses pour une simple couverture !
Mia prit une profonde inspiration.
— Bill, il est certain que nous n'en utiliserons pas autant, mais nous en utiliserons *quand même*. Donc, tiens-toi prêt, conclut-elle en le fixant d'un regard torve.
— Méfie-toi, Mia. Tu deviens acariâtre, grommela Bill. Et en plus, tu as mauvaise mine. A ta place, je renouerais avec mon petit copain.
Suffoquant d'indignation, Mia demeura sans voix. Puis, redressant le menton, elle pivota et s'éloigna, le dos raide.

La nuit qui précéda le déjeuner d'affaires des O'Connor, Mia tourna et se retourna dans son lit, incapable de trouver le sommeil à la pensée de revoir Carlos. En désespoir de cause, elle finit par se lever, descendit l'échelle et se prépara un chocolat chaud après avoir remis du bois dans le poêle.
Six semaines s'étaient écoulées depuis le départ de Carlos, six semaines durant lesquelles elle était passée par

des hauts et des bas. Par moments, elle était sûre d'avoir fait le bon choix et le simple fait d'avoir accepté de prolonger son bail de six mois la révoltait. Si déraisonnable que cela puisse paraître, elle avait l'impression de vivre de la charité de Carlos et de se retrouver de nouveau dans le rôle de la fille de la gouvernante.

Mais à d'autres moments, elle se disait qu'elle avait été folle de refuser cette opportunité, d'autant qu'elle adorait la vieille demeure et que vivre ici avait fait partie de ses rêves. Pourquoi diable n'avait-elle pas su ravaler sa fierté ? Et même maintenant, alors qu'elle cherchait désespérément un autre lieu pour s'installer et poursuivre son activité, l'idée de devoir bientôt quitter la propriété lui fendait le cœur.

Son attitude était ridicule, se fustigea-t-elle, tout en buvant son chocolat chaud. Ce n'était qu'une maison, après tout ! Et Carlos n'était qu'un homme parmi d'autres. Mais qu'elle le veuille ou non, elle l'aimait. Depuis toujours.

Elle fixa les flammes sans les voir et frissonna — non pas de froid, mais de peur. En dépit de sa jeunesse et de son inexpérience en ce domaine, elle demeurait persuadée qu'elle pourrait aimer Carlos bien mieux que ne l'avait jamais aimé Nina French, et cette certitude la pétrifiait et la déstabilisait à la fois.

Seigneur, comme il lui manquait ! Son sourire espiègle, ses yeux pétillants de malice et la façon dont il glissait les doigts dans ses cheveux lui manquaient. Voir les femmes succomber à son charme, y compris la mère de Gail, lui manquait tout autant. Quant à la sensation de plénitude qu'elle ressentait quand il la soulevait dans ses bras…

Le lendemain matin, Mia choisit ses vêtements avec soin : une jupe droite sobre, mais élégante, et un chemisier à col haut assorti. Elle attacha ses cheveux en un chignon strict, puis noua autour de son cou un foulard lilas pour adoucir un peu la sévérité de sa mise.

Après avoir vérifié avec le traiteur que tout allait bien — elle goûta même le burgoo —, elle se rendit à la salle à manger et jeta un regard circulaire autour d'elle.

Dans un coin de la grande salle trônait le cheval à bascule de la mère de Gail, superbe sous sa couverture de roses. Véritable œuvre d'art, celle-ci avait nécessité un grand nombre de fleurs et offrait un spectacle de toute beauté. Et au centre de la salle avait été placée une sculpture de glace représentant une jument et son poulain.

On jouait en sourdine *My Old Kentucky Home* et des serveuses, vêtues de casaques et de toques, se tenaient prêtes à servir les mint julep.

C'est alors que les premiers invités commencèrent à affluer et Mia retint son souffle comme ils pénétraient dans la salle à manger. Elle fut cependant vite rassurée en entendant leurs exclamations de ravissement, suivies de commentaires enthousiastes.

Aucun signe de Carlos, en revanche, quand bien même Carol Manning était venue se présenter.

— Il devrait arriver d'une minute à l'autre, dit celle-ci, l'air visiblement contrarié. Il est souvent en retard.

— Je sais. Il était même en retard au mariage de sa sœur, fit remarquer Mia. Il n'est pas venu en autocar avec le groupe ?

— En autocar ? Quand on a le genre de bolide qu'il conduit ? Sûrement pas ! s'esclaffa Carol Manning, avant d'examiner Mia de plus près. Alors ainsi, c'est vous, Mia Gardiner ? Ravie de vous connaître.

Elle balaya la salle du regard d'un regard admiratif.

— Je dois dire que je comprends maintenant pourquoi M. O'Connor tenait tant à ce que vous organisiez ce déjeuner. C'est superbe. Ah, le voilà qui arrive ! ajouta-t-elle en indiquant de la tête l'entrée de la salle à manger.

Carlos se tenait sur le seuil de la porte et scrutait la foule d'un regard hardi. Il portait un élégant costume gris anthracite, une chemise bleu clair et une cravate bleu nuit qui accentuait son charme viril. Soudain, il la vit. Un grand sourire aux lèvres, il s'avança vers elle et, l'espace d'un instant, elle crut qu'elle allait s'évanouir tant l'effet de sa séduction dévastatrice était puissant.

— Bravo, mademoiselle Gardiner, la félicita-t-il. Beau travail. Comment va votre pied ?

— Très bien, merci, monsieur O'Connor, murmura-t-elle. Je vous laisse, maintenant. Bon appétit !

Là-dessus, elle tourna les talons et s'éloigna rapidement.

— Ah, te voilà !

Mia sursauta et leva les yeux. De retour dans sa maison après avoir pris congé des derniers clients, elle prenait un repos bien mérité. Le déjeuner avait eu le succès escompté et Carlos s'était montré plus que discret. Une journée réussie, en somme.

— Je croyais que tu étais parti, dit-elle.

— Désolé de te décevoir ! En fait, je suis allé voir la mère de Gail.

— Pour quelle raison ? s'étonna Mia.

— Gail m'a dit que c'était sa mère qui avait cousu les roses sur la couverture ; je suis donc allé la remercier.

— C'était gentil de ta part, concéda Mia du bout des lèvres.

— Tu sembles étonnée ?

— Non, j'ai toujours su que tu pouvais te montrer charmant. Que veux-tu, Carlos ? Nous n'avons plus rien à nous dire…

Il leva un sourcil interrogateur.

— Parle pour toi, Mia. Je remarque cependant que tu as perdu du poids. Dois-je en conclure que je t'ai manqué ?

Elle s'étrangla de fureur.

— Comment oses-tu ?

— D'après Bill, non seulement tu as l'air fatigué, mais tu es aussi grincheuse et difficile à vivre, insista Carlos.

— Difficile à vivre ? répéta-t-elle, outrée. Quel culot ! S'il y a bien une personne au monde difficile à vivre, c'est lui !

Il observa un moment sa poitrine se soulever au rythme de sa respiration rapide, puis leva les yeux.

— Si cela peut te consoler, dit-il d'une voix douce, sache que moi aussi je suis difficile à supporter.

— Pourquoi ? murmura-t-elle dans un souffle.

— Parce qu'indépendamment de nos différends, je te désire plus que tout au monde. Et à en juger par ton attitude de ces dernières semaines, toi aussi.

A ses mots, le visage de Mia s'empourpra.

— Je… je…, balbutia-t-elle.

Il fit un pas vers elle et c'est alors que le portable de Mia sonna, brisant cet instant magique. Il était posé sur la table de la cuisine et Mia s'apprêtait à l'ignorer quand elle vit le nom de sa mère apparaître sur l'écran.

Quand elle raccrocha, quelques minutes plus tard, les larmes ruisselaient le long de ses joues et son visage était livide.

— Quoi ? Que se passe-t-il ?

— C'est mon père, dit-elle entre deux sanglots. Il vient de faire un AVC. Ecoute, je dois y aller, même s'il me faudra sans doute des heures pour me rendre à Ballina.

— Pas nécessairement.

Saisissant à son tour son portable, il composa un numéro.

Une demi-heure plus tard, la voiture de Carlos dévalait la montagne à vive allure en direction de l'aéroport où un hélicoptère l'attendait, conformément aux instructions de Carlos.

— Une voiture t'attendra à l'aéroport pour te conduire à l'hôpital, lui dit Carlos au moment où elle s'apprêtait à monter dans l'appareil.

— Je ne sais comment te remercier !

— Ne t'inquiète pas pour ça !

Mue par une impulsion, elle effleura sa bouche de ses lèvres.

— Merci du fond du cœur, murmura-t-elle.

Une semaine plus tard, son père allait beaucoup mieux. Bien sûr, il lui faudrait suivre des mois de physiothérapie pour retrouver toute sa mobilité, mais les signes cliniques étaient bons. Et sa mère était passée d'un état de choc — période durant laquelle elle semblait avoir perdu tous ses moyens — à une attitude nettement plus positive qui lui ressemblait davantage.

— Je pense que nous allons mettre le salon de thé en location, lui avait-elle confié. Tu sais, outre sa passion des abeilles et des oiseaux, ton père a toujours rêvé de parcourir l'Australie en voiture. Le temps est peut-être venu d'acheter une caravane et de réaliser son rêve.

— Pourquoi pas ?

Sa mère l'avait ensuite scrutée d'un regard critique et lui avait dit qu'elle avait mauvaise mine.

Mia s'était rangée à son avis, mais sans rentrer dans les détails de ses récentes déconvenues. Au lieu de cela, elle lui avait parlé de son projet de prendre quelques jours de vacances. Gail semblait parfaitement maîtriser le travail et était aidée dans sa tâche par Lucy James, enfin de retour.

Sa mère avait semblé sceptique, mais l'avait néanmoins encouragée à partir.

Mia se rendit à Byron Bay, une jolie station balnéaire située dans le sud du Queensland, à l'extrême est du continent australien. Elle réserva une chambre dans un motel luxueux à deux pas de la plage, puis se coucha et s'endormit aussitôt.

Un peu plus tard, fraîche et dispose, elle décida d'aller

se promener sur la plage pour admirer le soleil couchant. Le ciel strié de nuages roses et or se reflétait dans les eaux profondes du large et la lumière du phare brillait d'un éclat irisé, illuminant la masse sombre de Cap Byron.

Elle roula le bas de son jean et se mit à marcher à la lisière des vagues. Ses cheveux libres flottant au vent, elle éprouva un sentiment de liberté oublié depuis trop longtemps. Comme elle rebroussait chemin, le soleil disparut de l'horizon et l'air se rafraîchit d'un coup.

Elle venait à peine d'enfiler son pull quand une silhouette, debout sur la plage en contrebas du club de surf, attira son attention.

Une silhouette reconnaissable entre toutes — Carlos.

Sans l'ombre d'une hésitation, elle se dirigea vers lui, un grand sourire aux lèvres.

— Je ne savais pas que tu étais là, Carlos.

— Je viens tout juste d'arriver, en fait. Ta mère m'a dit que tu te trouvais ici.

— Tu as parlé à ma mère ?

Il acquiesça.

— Et à ton père. Je suis allé leur rendre visite.

— Ils ont dû être très touchés. Merci infiniment. Dans quel hôtel es-tu descendu ?

Il lui prit la main, puis d'un geste tendre repoussa une mèche de cheveux derrière ses oreilles.

— Aucun. Je comptais passer la nuit avec toi, Mia. Si tu veux bien de moi.

Elle prit une profonde inspiration, puis lui adressa un sourire timide.

— Une chance que mon hôtel soit à deux pas, alors…

— J'adore quand tu me fais ça, murmura Mia.

Allongée nue sur le lit, son corps vibrait sous ses caresses expertes, tandis qu'il en explorait chaque centimètre.

— Mais j'ai besoin que tu me serres dans tes bras avant que… tu ne bouleverses ma vie pour toujours…

Il rit doucement, mais accéda à sa requête.

— Que dis-tu de ça ?

— C'est fantastique !

Elle l'embrassa dans le cou.

— Je n'arrive pas à y croire, murmura-t-elle.

— Quoi donc ?

— Je ne me doutais pas à quel point ce serait fantastique d'être au lit avec toi, dit-elle d'une voix émerveillée, avant de se redresser sur un coude. Mais n'est-ce pas trop banal pour toi ?

— *Banal ?*

Retirant les mains de ses hanches, il captura ses seins dans ses paumes. Quand il en fit rouler les pointes gonflées entre ses doigts, Mia poussa un soupir étranglé.

Il la fixa de son regard de braise.

— Banal ? répéta-t-il, tandis que Mia pressait son corps contre le sien. Au contraire ! Mais toi, es-tu prête ?

— Oh, oui ! Je n'attends que ça ! Oh !

Elle eut un hoquet de surprise quand Carlos la fit s'allonger et, d'un même mouvement, la recouvrit de son corps. Elle était prête et s'offrit à lui sans retenue. Ils ne faisaient plus qu'un désormais, leurs deux corps s'épousant à la perfection. Ensemble, ils connurent d'infinis plaisirs jusqu'à l'extase finale, à laquelle ils s'abandonnèrent dans un même cri.

Comblée, Mia se lova contre l'épaule de Carlos, ses longs cheveux noirs étalés tels des rubans de soie sur l'oreiller. Jamais elle n'aurait cru possible de ressentir un tel sentiment de plénitude dans les bras d'un homme. Elle se sentait si bien qu'elle poussa même un petit cri de protestation quand il remua.

— Ne t'inquiète pas, la rassura-t-il en remontant les draps. Je ne vais nulle part.

Elle se détendit alors et, peu à peu, sombra dans le sommeil.

Assise en tailleur sur la plage, le lendemain matin, Mia faisait couler le sable entre ses doigts, tout en regardant Carlos faire du *body surf*. Elle avait renoncé à essayer d'attacher ses cheveux, préférant les laisser flotter librement sur ses épaules. Pieds nus et vêtue d'un short blanc et d'un T-shirt turquoise, elle avait cependant enfilé le pull de Carlos en raison de la brise matinale. Il avait beau être bien trop grand pour elle, elle se sentait bien dedans. Non seulement il lui tenait chaud, mais elle avait l'impression d'être enserrée dans ses bras. Heureuse, elle souriait à la vie.

— Salut !

Levant les yeux, elle vit Carlos debout devant elle, des gouttelettes d'eau ruisselant sur son corps svelte et bronzé.

— Qu'est-ce qui te fait sourire ainsi ? demanda-t-il en saisissant sa serviette.

— Oh ! rien. Tiens, reprends ton pull, dit-elle, s'apprêtant à le retirer.

— Garde-le. Tu en as plus besoin que moi. Et puis, j'ai ma serviette. Mais… qu'est-ce qu'il y a de si drôle ? s'enquit-il en la voyant rire aux éclats.

— Ce n'est rien, dit Mia. Je suis juste heureuse après la merveilleuse nuit d'amour que nous avons partagée.

Il s'esclaffa à son tour, puis s'assit à côté d'elle.

— Tu es folle, la taquina-t-il.

— Et toi, tu es merveilleux, fit-elle, reprenant peu à peu son sérieux. Et cette nuit d'amour m'a donné une faim de loup !

— Ah ! Là, nous sommes du même avis, assura-t-il en se redressant. On y va ?

Ils retournèrent à leur chambre et Mia prit une douche pendant que Carlos commandait leur petit déjeuner.

Quand elle sortit de la salle de bains, le repas n'était pas encore arrivé, mais une bouteille de champagne trônait sur la table basse dans un seau à glace, à côté de deux flûtes et d'une bouteille de jus d'orange.

— Oh ! murmura-t-elle, se remémorant leur conversation sur le sujet. A la fois dangereux et exquis !

Carlos s'était douché à la plage et portait maintenant un short kaki et une chemise blanche. Ses cheveux mouillés lui tombaient sur les yeux et il était pieds nus. Malgré tous ses efforts, Mia n'arrivait pas à détacher de lui son regard. Il avait vraiment un corps sublime et, quand il s'approcha et fit courir la main sur son corps, son cœur se mit à battre plus vite et le désir que Carlos avait si bien su éveiller en elle la veille se raviva. Eperdue, elle colla son corps à celui de Carlos et lui noua les bras autour du cou.

— Tu ne devrais pas faire ça, dit-elle d'une voix rauque.

Il laissa errer sa main sur sa joue, son cou, puis captura son épaule dans sa paume.

— Quoi donc ?

— Me toucher. Cela déclenche en moi des réactions étranges…

Il s'esclaffa doucement et déposa un baiser sur son front.

— Tu n'es pas la seule dans ce cas.

Un coup frappé à la porte les fit vite s'écarter l'un de l'autre et ils gloussèrent comme des adolescents pris en faute.

La journée fut exceptionnelle à tous points de vue.

Mia discuta longuement avec ses parents au téléphone, puis Carlos et elle se rendirent en voiture jusqu'au phare qui surplombait la baie et, tandis qu'ils admiraient le bleu infini de l'océan, ils eurent la chance d'apercevoir un banc de baleines à bosse qui nageaient vers l'océan austral après un court séjour dans les eaux tropicales du Queensland.

— Je suis toujours émue quand je vois des baleines, avoua Mia en s'asseyant sur un banc qui offrait une vue imprenable sur l'océan et sur les magnifiques plages de sable entourant la baie.

— Sans doute parce qu'elles sont énormes et qu'elles parcourent un long trajet, dit-il d'une voix réconfortante, tout en lui entourant les épaules de son bras. Ne pleure pas !

— Je ne pleure pas, dit-elle, les larmes aux yeux. Enfin, pas vraiment !

— Que dirais-tu de sortir dîner ce soir ?

— Pourquoi pas ? As-tu un endroit en vue ?

Il réfléchit un moment.

— Eh bien, il y a un orchestre qui joue dans le petit restaurant à côté du motel, dit-il. Cela nous permettrait de danser et de dîner à la fois.

— Bonne idée, approuva-t-elle.

— Mais j'aimerais que pour l'occasion tu t'habilles de façon glamour. J'adorerais te voir dans une robe sophistiquée et sexy à la fois que je me ferais une joie de te retirer une fois de retour dans la chambre.

Mia écarquilla les yeux.

— Tu es… diabolique !

Il retira son bras de ses épaules et lui saisit la main.

— Je suis sûr que cela te plairait !

— Je… euh… c'est possible, concéda-t-elle. Cela dit, il y a un problème…

Il lui lança un regard interrogateur.

— Je n'ai pas apporté de tenues élégantes.

— Ah ! Bon, écoute. J'ai des coups de fil à passer, alors pourquoi n'en profiterais-tu pas pour faire une séance de shopping ?

Mia fit la moue.

— Crois-tu que cela soit bien nécessaire ?

— Absolument. J'ai souvent remarqué que cela faisait beaucoup de bien aux femmes — souvent même plus que le sexe.

Mia leva les yeux au ciel et se retint de lui faire une remarque cinglante.

— Tu n’es pas d’accord ?

Mia lui jeta un regard en coin. Toujours vêtu de son short kaki et de sa chemise blanche, il était décidément d’une beauté renversante. Une brise légère soulevait ses cheveux et faisait gonfler le fin tissu de sa chemise, tandis qu’il la fixait, un léger sourire aux lèvres, tout à fait conscient de l’effet qu’il produisait sur elle.

Elle haussa les épaules d’un geste désinvolte.

— Pourquoi pas, après tout ? Byron est un lieu parfait pour le shopping.

— Bravo !

Surprise, elle cligna des yeux.

— Pour quelle raison ?

— Pour n’avoir pas mordu à l’hameçon, murmura-t-il en la prenant dans ses bras.

Mia fronça les sourcils, puis éclata d’un rire bref.

— Comment l’aurais-je pu ? Mais aucune force au monde ne m’empêchera désormais d’aller faire des courses !

Eclatant à son tour de rire, Carlos l’embrassa avec fougue. Puis, main dans la main, ils se levèrent et regagnèrent leur voiture.

Avec sa pléthore de boutiques de luxe et ses restaurants à la mode, Byron Bay, qui avait su préserver son atmosphère de village, était l’endroit rêvé pour faire des emplettes.

Ce fut dans une jolie petite boutique que Mia trouva son bonheur. La robe en crêpe de soie bleu nuit moulait son buste à la perfection. La jupe, fendue sur le côté, laissait entrevoir ses jambes fines, mises en valeur par des talons aiguilles vertigineux.

Elle se rendit ensuite chez le coiffeur où non seulement elle se fit coiffer, mais aussi s’offrit une manucure. Le coiffeur lui-même lui indiqua ensuite une boutique de lingerie féminine où elle s’acheta des sous-vêtements sexy. En proie à une frénésie d’achat, elle ajouta une nuisette de soie ivoire et un kimono noir brodé d'oiseaux de paradis dont elle était tombée amoureuse.

Ravie de ses emplettes, elle retourna au motel d'un pas guilleret, se demandant comment elle allait faire pour cacher à Carlos son petit sourire espiègle et son regard pétillant. Et puis, qu'importe, après tout. Pourquoi ne pas partager avec lui sa joie ?

Hélas, son euphorie se mua en désenchantement quand elle s'aperçut qu'il n'était pas là.

Il avait cependant laissé un petit mot sur la table l'informant qu'il avait reçu un coup de fil d'un de ses associés qui avait appris qu'il se trouvait à Byron pour quelques jours. Il était allé prendre un verre avec lui, mais l'assurait toutefois qu'il la retrouverait au restaurant à l'heure prévue. Cela lui laisserait ainsi le temps de s'apprêter, concluait-il.

En proie à une profonde déception, elle fixa le mot griffonné qu'elle tenait à la main. Elle aurait de loin préféré s'asseoir avec lui et siroter une coupe de champagne au lieu d'avoir du temps à elle. Elle lui aurait montré ses achats et se serait peut-être même amusée à défiler pour lui.

Déconfite, elle posa ses paquets et s'assit sur lit en poussant un profond soupir. L'esprit en tumulte, elle se demanda ce qui s'était passé pour que Carlos préfère la compagnie d'un collègue plutôt que la sienne. Avait-elle dit ou fait quelque chose de mal ? Et pourquoi une sonnette d'alarme se déclenchait-elle soudain dans son esprit ?

6.

Mia était prête à 19 heures pile.

Elle n'était pas très heureuse à l'idée de se rendre seule à pied au restaurant, non pas par peur d'être agressée, mais parce qu'elle se sentait trop habillée par rapport aux personnes qu'elle risquait de croiser.

Elle se dirigeait vers la kitchenette pour se servir un grand verre d'eau froide quand un bruit provenant des portes-fenêtres la fit pivoter.

Carlos se tenait sur le seuil, vêtu d'un costume gris anthracite, d'une chemise bleu pâle et d'une cravate marine. Son expression était indéchiffrable.

Ils se regardèrent ainsi durant une éternité, sans que ni l'un ni l'autre ébauche le moindre mouvement.

Tendue à l'extrême, Mia avait une conscience aiguë de ce qui l'entourait — y compris l'imposant physique de Carlos, qui n'avait plus rien de l'homme à la tenue décontractée qu'elle côtoyait habituellement.

Comme il paraissait large d'épaules et impressionnant dans ce costume élégant ! De plus, un air de mystère l'entourait et elle eut la désagréable impression de se retrouver face à un inconnu. A cette pensée, un frisson lui parcourut l'échine.

C'est alors que Carlos lui tendit la main.

Après une légère hésitation, elle s'approcha et la saisit.

— Tu es éblouissante…

— Toi aussi.

— Je suis venu te chercher.

— J'en suis heureuse, murmura-t-elle.

— Moi aussi, assura-t-il. Un cavalier sur son cheval ailé aurait pu te transporter au-delà des mers et des océans.

A ces mots, un léger sourire ourla ses lèvres.

Il lui lança un regard interrogateur.

— Etait-ce cela qui t'inquiétait ?

— Pas spécialement, murmura-t-elle en baissant les yeux sur sa tenue. Je me sentais un peu déplacée vêtue ainsi et l'idée d'entrer seule dans un restaurant me mettait mal à l'aise. Voilà pourquoi je suis heureuse que tu sois venu.

Il l'attira contre lui et la serra dans ses bras.

— Ai-je le droit de t'embrasser ?

— Ça dépend, dit-elle en posant la main contre son torse.

— De quoi ?

— De ce que tu as en tête. S'il s'agit d'un chaste baiser, alors vas-y, mais…

Il la fit taire en la ployant en arrière, un bras soutenant son dos et l'autre enserrant sa taille.

— Là, ça va ?

— Tant que tu ne me décoiffes pas et n'abîmes pas mon maquillage, tout va bien. En revanche, si tu me désobéis…

— Tu ne me parleras plus jamais ? Tu hurleras au meurtre ? suggéra-t-il avec un sourire canaille.

— Non, je changerai de tenue, puis j'irai courir sur la plage. Et ensuite, je m'achèterai un hamburger pour le dîner.

Elle éclata de rire devant la mine ébahie de Carlos.

— Est-ce vraiment ce que tu aimerais faire ? s'enquit-il en se redressant.

— Après m'être donné tant de mal ? Tu es fou !

— Ce serait pourtant amusant, dit-il, un léger sourire aux lèvres, d'autant que c'est la pleine lune, ce soir. On pourrait apporter une couverture et une bouteille de vin. C'est le milieu de la semaine et ce n'est pas la période des vacances scolaires, donc il ne devrait pas y avoir trop de monde. Et si par hasard c'était le cas, je connais un endroit isolé.

— Tu es… sérieux ?

Carlos s'adossa au mur et croisa les bras.

— C'est toi la première qui as évoqué l'idée !

— Je sais, mais… balbutia-t-elle en baissant de nouveau les yeux sur sa robe, après tous ces efforts !

— Tu pourras la mettre demain soir.

— Tu veux dire que nous restons ici une nuit de plus ? s'étonna Mia. Je croyais que…

Elle se tut, mal à l'aise.

— Tu m'as toi-même assuré que Gail gérait très bien la situation. Pourquoi ne pas en profiter ?

— C'est vrai, admit-elle. Comme quoi, il ne faut jamais se croire indispensable.

— Alors ? Qu'en dis-tu ?

Elle leva les yeux vers lui.

— Pourquoi pas ? Si tu me promets de ne pas me faire le même coup demain soir, dit-elle en le menaçant du doigt.

— Promis. Tu pourras mettre ta jolie robe demain soir.

— Merci.

— On est bien, ici, déclara Mia en se blottissant dans les bras de Carlos.

Ils s'étaient creusé un petit nid douillet dans le sable dans lequel ils avaient placé un plaid que Carlos gardait en réserve dans le coffre de sa voiture.

Ils avaient dévoré avec grand appétit leur pique-nique composé de hamburgers, de salade — iceberg selon la demande expresse de Carlos —, de chips et même d'une bouteille de vin.

La lune éclairait de sa lumière blanche l'océan et la petite bourgade de Byron, et les étoiles brillaient avec une telle intensité qu'elles semblaient à portée de main.

— Si seulement je pouvais immortaliser cet instant, murmura Mia, songeuse. Pour engranger des souvenirs…

— Pourquoi faire ça ? répliqua-t-il. Si nous décidions de nous marier, nous pourrions souvent revenir ici.

Sous l'effet de la surprise, Mia se figea.

— Je… je ne sais pas quoi te dire, Carlos.

Il saisit sa main et mêla ses doigts aux siens.

— Ce n'est qu'une idée, précisa-t-il. Qu'avais-tu d'autre en tête ? Une liaison ?

— Je… je n'y ai pas réfléchi. Je ne sais pas trop quoi penser. Tout est arrivé… si vite !

Carlos eut l'air sceptique.

— Vraiment ?

Envahie d'une sensation de honte, Mia se redressa et appuya son front sur ses genoux relevés. Comment avait-elle pu oublier que Carlos savait depuis longtemps qu'elle était amoureuse de lui ?

— Peut-être pas, concéda-t-elle. J'admets que l'attirance que j'éprouve pour toi ne date pas d'hier, mais… n'oublie pas que j'ai été un peu malmenée, ces derniers temps.

— Est-ce la raison pour laquelle tu es tombée dans mes bras sans protester ?

Mia jeta un regard par-dessus son épaule, mais ne put lire l'expression de son visage. Elle frissonna malgré tout.

— Eh bien…

— N'est-ce pas plutôt parce que tu ne pouvais faire autrement que de céder à une passion brûlante, longtemps réprimée ? Et que tu savais au fond de toi que cette attirance physique était unique ?

La note de sarcasme dans sa voix la fit grimacer.

— Je suis désolée de t'avoir offensé, murmura-t-elle.

— Et maintenant, tu as besoin d'espace pour panser tes plaies ? C'est bien ça, Mia ?

Elle se leva.

— Oui, sans doute. Je n'ai pas encore eu le temps de réfléchir, mais tu n'es pas obligé de dépeindre un tableau aussi sombre.

Se levant à son tour, il la saisit par les épaules et la fit pivoter vers lui si brutalement qu'elle trébucha et dut s'agripper à lui pour ne pas tomber.

— Et comment qualifierais-tu notre relation, alors ? s'écria-t-il d'un ton rageur.

— Je ne sais pas… Un besoin de chaleur, de réconfort… Quel mal y a-t-il à cela ?

— Tu mens, c'est tout, vociféra-t-il. Tu as besoin de moi, comme j'ai besoin de toi, et tu ne pourras rien y changer.

Mia sentit la colère la gagner.

— Tu ne peux pas me dicter ma conduite ainsi, Carlos. Je prendrai mes décisions moi-même, conclut-elle, faisant mine de s'éloigner.

Carlos tenta de l'agripper de nouveau, mais elle le repoussa d'un geste et se mit à courir vers la mer.

— Laisse-moi tranquille, Carlos !

Ignorant sa requête, il la poursuivit. Dans l'espoir de lui échapper, elle entra dans l'eau, inconsciente de la marée montante jusqu'à ce qu'une vague un peu plus importante que les précédentes lui fasse perdre l'équilibre, et elle tomba.

— Fais attention, Mia !

La saisissant sous les aisselles, Carlos la remit sur pied.

— Tu es trempée et couverte de sable maintenant, dit-il sur le ton du reproche. Que pensais-tu que j'allais te faire ?

— *M'embrasser*, marmonna-t-elle. M'embrasser et me caresser jusqu'à me faire perdre la raison, puis me persuader de nous marier au plus vite ! Mais ce n'est pas juste, Carlos, car je ne veux pas t'épouser.

— Sûre et certaine ? s'enquit-il en la soulevant pour la mettre hors de portée d'une nouvelle vague.

— Non, bien sûr que je ne suis pas certaine, dit-elle en baissant les yeux sur sa tenue dépenaillée. Il y a bien des avantages à être ta femme, même si ce ne sont pas selon moi des raisons suffisantes pour t'épouser.

— Des avantages comme entrer en possession de Bellbird et pouvoir enfin jouer à la châtelaine ? Ou encore avoir autant d'enfants que tu le souhaites ?

Elle eut un geste d'impatience.

— Ce n'étaient que des rêves et je n'ai jamais pensé un seul instant qu'ils deviendraient réalité.

— Que dis-tu alors de nos prouesses sexuelles ? N'est-ce pas là une raison suffisante pour vouloir m'épouser ?

Mia se mordit la lèvre et maudit Carlos intérieurement.

— Et dans ce que tu considères comme de *bonnes* raisons pour m'épouser, j'imagine que l'amour éternel arrive en tête de ton classement ?

Elle acquiesça à contrecœur.

— Comment peux-tu présager ainsi de l'avenir ?

— Je t'assure que cela existe. Tu n'as pas l'air d'y croire, mais mes parents en sont un exemple frappant.

— Les miens aussi, rétorqua-t-il d'un ton sec. Pour ma part, je crois plutôt que l'amour dans un couple se construit peu à peu. As-tu l'impression que c'est ce qui nous arrive, Mia ? As-tu déjà vécu cela avec quelqu'un d'autre ?

— Je ne comprends pas, admit-elle d'une voix incertaine.

— Laisse-moi t'expliquer, alors. Je vais te ramener au motel. Puis je vais ôter tes vêtements trempés et recouverts de sable et te faire prendre une douche. Ensuite, je te mettrai au lit, te borderai et te préparerai un bon café.

Hébétée, Mia le fixait sans mot dire.

— Ensuite, nous pourrons faire l'amour, si tel est notre désir — avec lenteur et tendresse ou avec passion, comme hier soir. Ou, tout simplement, nous nous endormirons, serrés l'un contre l'autre. A ce propos, ajouta-t-il, j'adore la façon dont tu te blottis dans mes bras pour trouver le sommeil, ainsi que la façon dont tu souris quand tu dors.

— Je ne souris pas en dormant !

— Si. Rentrons maintenant, dit-il en enfonçant les mains dans ses poches. Tu pourrais prendre froid.

Comme pour lui donner raison, elle se mit à frissonner.

Fort heureusement, ils avaient marché jusqu'à la plage, et Mia n'eut pas à craindre de salir la voiture de Carlos.

En revanche, à l'idée de laisser des traces de sable dans l'entrée du motel, elle frémit.

— Mets tes épaules en arrière, redresse le menton et avance comme si de rien n'était, Mia, déclara Carlos en voyant sa détresse. Ce genre de choses arrive très souvent. Et puis, ils ont forcément des aspirateurs.

Elle lui décocha un regard assassin, mais suivit ses conseils.

— Nous voilà arrivés, dit-il en déverrouillant la porte de la chambre. Ce n'était pas si difficile que ça, n'est-ce pas ?

Elle acquiesça à contrecœur.

— Bon, prochaine étape, la douche. Avec ou sans tes vêtements, d'ailleurs !

Mia résista à la tentation de lui répondre que si elle était dans ce triste état, c'était en partie sa faute, et elle entra d'un pas décidé dans la salle de bains avant d'en claquer la porte derrière elle.

Il la rouvrit aussitôt.

Mia pivota, les yeux flamboyants de colère.

— Je voulais juste m'excuser et t'assurer que je n'avais pas l'intention de te toucher, dit-il d'une voix doucereuse. Quant à ma proposition de mariage, ce n'était qu'une idée, pas une menace.

Là-dessus, il ferma la porte sans bruit.

Mia rinça à fond ses vêtements, puis prit une douche et se lava les cheveux. Mais à peine sortie, elle se rendit compte avec effroi que, dans sa précipitation à se barricader dans la salle de bains, elle avait oublié d'emporter des vêtements propres. Elle fixa pensivement son reflet dans la glace embuée. Contre quoi luttait-elle ? Personne ne pouvait l'obliger à épouser Carlos, après tout. Elle n'avait qu'à s'en aller. Sauf que…

Elle soupira et ferma les yeux. Elle était hélas liée à Bellbird par contrat pour encore quelques mois, ce dont

Carlos était conscient. D'un autre côté, que ressentirait-elle si elle était mariée avec Carlos O'Connor ? Avait-il raison de dire que l'amour dans un couple se construisait peu à peu ? Il n'y avait bien entendu qu'un moyen de le savoir…

S'emmitouflant dans une grande serviette blanche, elle ouvrit la porte de la salle de bains.

Vêtu de son seul caleçon, Carlos était allongé sur le lit, le menton appuyé sur un coude. Un plateau, garni de café et d'un assortiment de petits gâteaux, était placé sur la table basse à côté de lui.

Sans rien dire, il la regarda s'approcher du lit, une expression indéchiffrable sur le visage.

— Je ne sais pas ce que tu ressens, Carlos, mais sache que je déteste ce genre de chamailleries et… bref, je ne suis pas très fière de mon comportement, avoua-t-elle, une fois arrivée au pied du lit. A ma décharge, je dirais juste qu'en ce moment je ne suis plus sûre de rien et incapable de prendre une quelconque décision.

Elle marqua une pause, puis poursuivit d'une voix hésitante en désignant l'oreiller :

— Cela t'ennuierait-il de me passer ma nuisette ? Au fait, dit-elle en humant l'air, ton café sent divinement bon !

Son expression soudain radoucie, Carlos se redressa et lui tendit la main.

Après une légère hésitation, elle contourna le lit et plaça sa main dans la sienne.

— Allez, viens !

— La serviette est mouillée, protesta-t-elle.

— Ah !

Soulevant l'oreiller, il prit la nuisette — pas la nouvelle, mais un modèle plus ordinaire en satin bleu ciel et orné de cerfs-volants — et lui ordonna de lever les bras.

Elle se prêta à sa requête et, une fois la nuisette enfilée, en lissa de la main le fin tissu.

— Te voilà maintenant propre et présentable, dit-il en

scrutant avec intérêt les cerfs-volants. Et ta nuisette est peut-être même d'actualité.

— Que veux-tu dire ?

— Si tu levais l'embargo que tu m'as imposé…

— Je ne t'ai jamais imposé d'embargo !

— Tu m'as pourtant dit qu'il était dans mes habitudes de t'embrasser jusqu'à te faire perdre la raison.

Mia poussa un soupir exaspéré.

— Je ne t'ai pas pour autant imposé un embargo !

— C'est vrai, concéda-t-il. N'empêche que tout homme respectable ne manquera pas de réaliser que tu désapprouves ce comportement, et par conséquent laissera tomber.

Mia le fixa d'un air interloqué. Où voulait-il en venir ?

— Quel est le rapport avec ma chemise de nuit ? finit-elle par demander d'un ton où perçait son agacement.

— Les cerfs-volants.

Elle cligna des yeux, perplexe

— Je vois que tu ne comprends toujours pas, soupira-t-il. Nous pourrions atteindre le ciel, comme les cerfs-volants imprimés sur ta chemise de nuit — si nous étions à la fois amis et amants.

Mia demeura longtemps immobile, puis un lent sourire étira ses lèvres.

— Tu es complètement fou, tu sais !

— Sans doute, admit-il de bonne grâce. Suis-je pardonné ?

— Oui.

— Allez, viens, dit-il, l'invitant d'un geste à le rejoindre.

— C'est beaucoup mieux que de se disputer, non ? dit-elle en se glissant entre les draps.

— Tu as raison.

Comme il l'étreignait, elle ne vit pas la lueur inquiète qui traversait son regard.

*
* *

Quelques heures plus tard, Carlos observait Mia qui dormait à poings fermés. Ils avaient fait l'amour, non pas avec la passion qui caractérisait d'habitude leurs ébats, mais avec une infinie tendresse, ce qui était tout aussi plaisant. Mia était une amante généreuse qui se donnait à lui sans retenue, éveillant immanquablement son instinct protecteur. L'idée même de la savoir dans les bras d'un autre homme que lui était insupportable.

Incapable de trouver le sommeil, il se leva et sortit dans le jardin. Il entendait les vagues déferler sur la plage, tandis qu'une brise légère agitait doucement les branches des pins qui bordaient la route. Après avoir écouté quelques instants le ressac, il retourna dans la chambre, enfila un sweat-shirt et s'assit dans un fauteuil, à côté du lit.

Ses pensées le ramenèrent au passé. A l'époque où elle n'était encore qu'une toute jeune fille, Mia n'aimait rien de mieux que de galoper à bride abattue à travers prés et collines, comme si la cavalcade effrénée pouvait lui faire oublier les contraintes du pensionnat.

Elle avait été une enfant timide, se remémora-t-il, et passait souvent inaperçue tant elle se montrait discrète.

Puis, quand elle avait eu environ quinze ans, ils avaient pris l'habitude de faire ensemble de longues balades à cheval et c'est à cette époque-là qu'il avait remarqué qu'elle rougissait légèrement quand il lui adressait la parole. Il avait aussitôt pris ses distances, ne revenant à West Windward qu'en de rares occasions, dans l'espoir que l'adoration que lui vouait Mia finirait par disparaître.

Mais lorsque, quelques années plus tard, une branche lui était tombée sur la tête lors d'une terrible tempête, il avait découvert à son grand désarroi que la petite Mia de son souvenir s'était muée en une ravissante jeune femme aux courbes affriolantes qui mettaient tous ses sens en émoi.

Elle était certes toujours belle et désirable, mais elle était bien plus que cela. Intelligente, vive et enjouée, elle était devenue une femme accomplie. Si son père avait pu la voir, nul doute qu'il l'aurait préférée à Nina French. Et de loin.

Carlos grimaça à cette pensée. Contrairement à sa femme, Frank O'Connor avait toujours considéré Nina French comme une jolie fille sans cervelle, dénuée des qualités nécessaires pour faire une bonne épouse et une bonne mère. Les sentiments de son père ne l'avaient pas surpris outre mesure, mais l'avaient hélas lancé dans une voie qu'il regrettait aujourd'hui d'avoir prise.

L'ironie de la situation ne lui avait pas non plus échappé : Nina voulait coûte que coûte l'épouser, tandis que Mia rejetait l'idée en bloc.

Il fixa d'un air absent le filet de lumière qui filtrait sous la porte de la salle de bains. Pourquoi diable avait-il abordé le sujet du mariage ? Et quelle sorte de mariage envisageait-il avec Mia ?

Paisible. Une union avec une femme intelligente, drôle, dotée de sens pratique et artistique. Une femme qui adorait les enfants — ce qui devrait plaire à sa mère, si tant est que celle-ci puisse dépasser la haine viscérale qu'elle éprouvait envers Mia !

Sa femme résiderait à demeure à Bellbird et il serait libre d'aller et venir à sa guise. Il n'y aurait pas de hauts et de bas comme dans sa relation avec Nina, et il n'aurait pas non plus l'impression insidieuse de vivre un drame au quotidien. Et bien entendu, Mia lui vouerait une éternelle reconnaissance pour la manière dont ils s'étaient rachetés, lui et sa famille.

Il serra les dents à cette pensée.

Non, il devait certainement y avoir autre chose qui l'incitait à vouloir épouser Mia. La réponse qui lui vint à l'esprit ne fit rien pour apaiser ses doutes.

Quelque chose en elle l'attirait irrésistiblement.

7.

Quand Mia se réveilla le lendemain, elle s'étira paresseusement, puis tourna la tête vers Carlos.

Ne sachant pas que celui-ci avait passé la moitié de la nuit à combattre ses démons, elle fut surprise de le trouver endormi malgré la lumière qui filtrait à travers les rideaux.

Elle le dévisagea d'un air pensif, un peu inquiète de ce que lui réservait la journée à venir. Certes, la soirée s'était bien terminée, reconnut-elle, rougissant au souvenir de leurs ébats nocturnes. Mais comment réagirait-elle aujourd'hui s'il abordait de nouveau le sujet du mariage ?

Secouant la tête, elle décida d'aller nager. Peut-être un peu d'exercice chasserait-il ses incertitudes ?

Elle se glissa hors du lit et se dirigea à pas feutrés vers la salle de bains où elle enfila un Bikini noir et blanc et un peignoir blanc. Lorsqu'elle revint dans la chambre, elle vit que Carlos dormait toujours à poings fermés.

Elle déposa un baiser sur son front et sortit.

La matinée était fabuleuse. Le ciel bleu avait peu à peu remplacé la lumière orangée de l'aube, tandis que le soleil faisait son apparition au-dessus d'une mer d'huile.

C'était la marée montante et Mia pouvait entendre le bruit lent des vagues qui se mouraient doucement sur la plage. Le temps idéal pour faire du *body surf*.

Sans perdre un instant, elle ôta son peignoir, s'élança vers la mer où elle plongea, le dos courbé en un arc parfait.

Lorsqu'elle sortit de l'eau, un peu plus tard, elle découvrit Carlos, assis sur la plage. Il avait l'air maussade.

— Salut ! lança-t-elle en saisissant sa serviette. L'eau est extraordinaire. Tu ne veux pas te baigner ?

— Oui et non. Cela t'ennuierait de ne pas me tremper ?

Mia réprima un sourire.

— Excuse-moi.

Elle étala sa serviette et s'assit dessus.

— Je viendrai avec toi, si tu veux, suggéra-t-elle.

— Tu penses que j'ai besoin qu'on me tienne la main ? Je fais du surf depuis l'âge de six ans.

Elle posa la main sur la sienne.

— Je pensais plutôt à une main amicale. Lorsque tu te sens d'humeur grincheuse et irritable, cela peut parfois aider.

Lui saisissant la main, elle déposa un baiser dans le creux de sa paume, puis replia ses doigts dessus.

— Voilà !

Puis elle se leva et courut le long de la plage, avant de se jeter de nouveau à l'eau.

Carlos la suivit.

— Tu es un véritable génie, dit Carlos un peu plus tard, alors qu'ils savouraient un copieux petit déjeuner. Je me suis levé ce matin de mauvaise humeur… et regarde ce que tu as accompli !

Ils étaient attablés à une terrasse de café en bordure de plage, réputée pour ses petits déjeuners gargantuesques. Tous les deux vêtus d'un jean et d'un T-shirt, Mia avait cependant apporté une légère touche féminine à sa tenue en nouant un foulard imprimé de fleurs dans ses cheveux.

— J'en suis heureuse, dit-elle en souriant. Qu'as-tu prévu de faire aujourd'hui ?

— Pourquoi ?

— Je pensais rendre visite à mes parents à Lismore, mais tu n'es pas obligé de venir.

— Je t'aurais volontiers accompagnée, mais il se trouve que j'ai des clients à voir ce matin. C'est fou le nombre de gens qu'on retrouve à Byron ! Bref, comme ils sont impliqués dans le projet du centre équestre, je profite de l'occasion. Tu n'as qu'à prendre la voiture.

— Oh ! ne t'inquiète pas pour ça, je pensais en louer une.

Elle se versa une tasse de café et en huma l'arôme avec délectation.

— Prends la voiture, insista-t-il.

— Je n'ai jamais conduit de voiture de sport, protesta-t-elle.

— Si tu sais conduire une voiture à boîte manuelle, tu n'auras aucun souci à te faire.

Elle hésita.

— Te rends-tu compte de l'honneur que je te fais, Mia ?

— Comment ça ?

— Sais-tu que je n'ai encore jamais laissé une femme conduire ma voiture ?

L'espace d'un instant, Mia demeura bouche bée, puis elle éclata de rire.

— Si tu crois que cela me met à l'aise, tu te trompes ! Mais merci quand même.

Ils quittèrent le restaurant main dans la main et se dirigèrent vers la voiture de Carlos.

— N'oublie pas que nous dînons ensemble ce soir, lui lança Carlos, juste avant qu'elle ne démarre.

— Oh ! je n'oublierai pas ! Et merci encore !

Puis, avec un sentiment d'euphorie, elle engagea le joli coupé sport dans la circulation.

Mia revint de Lismore en fin d'après-midi, heureuse d'avoir vu ses parents si enjoués. La voiture n'avait pas la moindre égratignure et son père allait beaucoup mieux et sortirait bientôt de l'hôpital.

Hélas, sa joie fut de courte durée. La réceptionniste l'avertit dès son arrivée que Carlos s'était une nouvelle fois absenté.

— Il s'est rendu dans le Queensland ? répéta-t-elle, interloquée. Vous êtes sérieuse ?

— Il est parti en hélicoptère pour voir un centre équestre. Il m'a dit qu'il s'apprêtait à en construire un dans le sud du pays et voulait voir s'il pouvait glaner quelques idées auprès de celui-ci. Il m'a demandé de vous expliquer tout ça, mademoiselle Gardiner, et m'a assurée qu'il serait rentré à temps pour votre dîner en amoureux.

— Oh ! Eh bien, merci.

Plusieurs heures s'étaient écoulées depuis ce moment-là et Mia avait eu largement le temps de se préparer pour le dîner. Hélas, toujours aucun signe de Carlos.

Assise devant la coiffeuse, elle contemplait tristement ses cheveux. Autant, la veille, elle avait arboré une coiffure à la fois élégante et sophistiquée grâce au doigté magique du coiffeur, ce soir, après deux shampoings, elle ne pouvait guère en dire autant. Ses cheveux n'étaient plus soyeux et lisses mais bouclés et en bataille. Réprimant un soupir, elle opta pour la seule solution envisageable : nouer cette masse indomptable en un chignon sévère.

Cependant, une fois sa tâche accomplie, elle demeura immobile, fixant d'un regard absent son reflet dans le miroir. Perdue dans ses pensées, elle se remémorait le vif intérêt de ses parents pour Carlos.

Si elle était amenée un jour à leur donner une explication, que leur dirait-elle ?

« Il m'a demandée en mariage et j'ai refusé. Pourquoi ? Parce que je ressens au plus profond de moi-même… Je ne sais pas… Je n'arrive pas à oublier son regard énamouré,

ni la manière dont il parlait de Nina dans le restaurant, l'autre soir. Peut-être aussi parce que j'ai eu l'impression qu'il s'agissait plus d'un test pour voir comment j'allais réagir que d'une véritable demande en mariage. Et en dépit de tout le bonheur qu'il m'a apporté, il y a toujours une part d'ombre en lui que je n'arrive pas à expliquer, qu'il s'agisse de Nina ou d'autre chose… »

Soudain, Mia écarquilla les yeux en voyant Carlos traverser la pièce pour se placer derrière elle. Immobiles, ils se dévisagèrent pendant de longues minutes dans le reflet du miroir.

— Salut ! finit-il par dire. A quoi pensais-tu ?

— Que veux-tu dire ?

— Je t'observais depuis un moment sur le seuil de la porte avant que tu ne t'aperçoives de ma présence. Tu semblais perdue dans tes pensées.

Mia se leva et lissa sa robe.

— Je commençais à croire que tu m'avais oubliée.

— Non, rétorqua-t-il en la prenant dans ses bras. En fait, j'ai pensé à toi toute la journée — et la moitié de la nuit !

Attendrie, elle posa la main sur sa joue.

— C'est pour ça que tu t'es réveillé ce matin de mauvaise humeur ?

— J'étais surtout furieux contre moi-même. Enfin, peu importe ! Mais dis-moi, ajouta-t-il en l'examinant de plus près, qu'as-tu fait à tes cheveux ?

Elle lui expliqua la raison de sa coiffure stricte.

— Mais j'aime les voir détachés, protesta-t-il.

Tendant la main, il s'appliqua à ôter les épingles, une à une.

— Carlos !

Ignorant ses protestations, il poursuivit sa tâche.

— Voilà, dit-il avec un petit sourire quand il eut fini.

Il lui tendit un petit tas d'épingles, puis fit courir les doigts dans sa chevelure soyeuse.

Mia poussa un soupir.

— Y a-t-il autre chose que tu n'apprécies pas ?

— Te concernant ?

— Oui, répondit-elle. Je tiens juste à être préparée au cas où tu aurais l'intention de semer le chaos dans ma tenue.

— Non, dit-il en l'examinant des pieds à la tête, et même si je me réjouis d'avance à la perspective d'ôter ta jolie robe bleue et de laisser courir mes doigts sur tes seins et sur tes hanches, je pense être capable d'attendre.

Mia faillit s'étrangler.

— Je suis ravie de l'entendre, dit-elle.

Il leva un sourcil interrogateur.

— Tu n'approuves pas mes remarques ?

— Si, et c'est bien le problème ! Mais si tu peux attendre, moi aussi…

Elle pivota et s'apprêtait à s'éloigner quand Carlos la saisit dans ses bras.

— En y réfléchissant bien, je crois que je ne peux pas attendre. Et puis, nous avons le temps, ajouta-t-il en jetant un bref regard à sa montre. Une heure, pour être précis.

— Carlos…

Comment pouvait-elle réfléchir alors qu'il lui prodiguait la plus exquise des caresses ?

Encore vêtu du jean et du T-shirt qu'il avait enfilés après la baignade de ce matin, il dégageait une senteur typiquement masculine, faite d'un mélange d'effluves virils et d'un after-shave épicé, qui enflammait ses sens. Confusément, elle sentit qu'il faisait glisser la fermeture Eclair de sa robe, puis elle entendit le tissu soyeux tomber sur le sol en un doux frou-frou et se retrouva presque nue devant lui.

Les yeux étincelants d'une lueur sauvage, Carlos laissa errer son regard sur sa taille et ses hanches, avant de remonter jusqu'au petit creux à la base de son cou où une veine palpitait à l'unisson de son désir.

N'y tenant plus, il s'avança et captura ses seins entre ses mains, avant de pencher la tête et de titiller de la langue un téton durci.

Une décharge de volupté secoua Mia, la laissant pantelante de désir, brûlante, incapable de la moindre pensée cohérente tandis qu'il suçait avec passion la chair tendre…

Puis il la souleva et la déposa sur le lit. L'heure n'était plus à la tendresse mais à la passion, comme en témoignait la frénésie de leurs gestes. Cette fois, leur orgasme fut aussi intense que rapide et ils mirent longtemps à revenir du monde merveilleux où ils s'étaient aventurés.

— Je crois que nous venons d'établir un record, murmura Carlos avec un demi-sourire. Si nous nous dépêchons, nous pouvons encore être à l'heure pour notre dîner au restaurant.

Mia rit doucement.

— Pourquoi tant de précipitation ?

Il remit les oreillers en place, puis l'attira dans ses bras.

— Tu as raison, dit-il en l'embrassant sur le nez. En toute honnêteté, je me vois mal aller au restaurant maintenant.

— Moi non plus. Je n'ai pas le courage de prendre une douche et de m'habiller. Je préfère rester blottie dans tes bras…

Levant la main, il repoussa du visage de Mia quelques mèches qui avaient glissé sur sa joue.

— Pourquoi pas ?

Leur décision prise, ils restèrent au lit. Carlos regardait la télévision, le volume réglé au plus bas, tandis que Mia somnolait à côté de lui.

Un peu plus tard, réalisant qu'ils mouraient de faim, ils se vêtirent à la hâte d'un jean et d'un pull-over et dévalèrent en courant l'escalier du motel, avant de se retrouver dehors, au clair de lune. Ils trouvèrent un restaurant à la mode, plein à craquer et vibrant au son du blues.

Mia commanda des pâtes fraîches et Carlos des crevettes, ainsi qu'une bouteille de chianti. Ils dégustèrent leurs mets savoureux, tout en se mêlant régulièrement à la foule qui dansait sur la minuscule piste de danse. Ils restèrent jusqu'à la fermeture, puis déambulèrent le long de la plage.

— Est-ce que ça va ? s'enquit Carlos en lui prenant la main.

— Euh, oui…

Il la dévisagea d'un air perplexe.

— Tu voulais dire autre chose ?

Mia s'humecta les lèvres.

« J'allais te dire que j'acceptais ta proposition de mariage, Carlos. Je ne peux pas faire autrement. Si je refusais, j'aurais l'impression de me condamner moi-même au purgatoire. J'ai failli te le dire à l'instant même, mais quelque chose m'a retenue au dernier moment. Je me demande bien quoi… »

— Qu'allons-nous faire demain ? finit-elle par dire, se traitant intérieurement de lâche.

Il l'observa d'un regard indéchiffrable, avant de hausser les épaules et de se remettre à marcher.

— Si tu penses que Gail peut se passer de toi une journée de plus, on pourrait aller jusqu'à la Côte d'Or et visiter un peu la région.

— Bonne idée ! Quant à Gail, elle est au septième ciel en ce moment et se débrouille très bien. Elle se fait aider par sa mère et par Lucy, la femme de Bill. Je suis très fière d'elle !

— Tu l'as sans doute bien formée, dit Carlos. Prête pour retourner au lit ?

— Vu l'heure tardive, oui !

En fin de compte, ils n'allèrent nulle part le lendemain, se contentant de se baigner et de paresser sur la plage, heureux et insouciants. Le soir, ils se rendirent au luxueux restaurant qui jouxtait leur motel et s'attablèrent à une table pour deux. Mia portait enfin sa nouvelle robe bleue.

— La troisième fois était la bonne, avait-elle dit un peu plus tôt dans la soirée, une fois prête à partir.

— Tu es ravissante, avait-il répondu. Et j'aime tes cheveux ainsi.

Se conformant aux désirs de Carlos, elle avait laissé ses cheveux détachés.

— Ma vie serait pourtant plus simple si tu me laissais libre de me coiffer à ma guise.

Du pouce, il lui avait relevé le menton.

— Ce devrait être le cadet de tes soucis, avait-il murmuré en enveloppant sa silhouette du regard.

— Tu commences à m'inquiéter. Aurais-je parlé trop tôt ?

— Si c'est pour ta robe que tu t'inquiètes, avait-il répondu avec un sourire espiègle, il vaudrait mieux en effet qu'on sorte d'ici le plus vite possible.

Après un délicieux repas composé de homard et de champagne, Mia hésitait à prendre un dessert quand, levant les yeux du menu, elle vit Carlos, la mâchoire serrée et le visage blême, fixer un point derrière elle.

L'instant d'après, Nina French s'arrêtait devant leur table. Mia la reconnut aussitôt, ainsi que l'homme qui l'accompagnait — Talbot Spencer.

Nina French était certes photogénique mais, en chair et en os, elle était tout simplement éblouissante avec sa peau douce, ses grands yeux d'un bleu d'azur et sa longue chevelure nimbée d'or. Elle portait un fourreau à imprimé floral — retenu par de fines bretelles — qui épousait à la perfection son corps de déesse et laissait entrevoir la naissance de ses seins. Des talons aiguilles vertigineux complétaient sa tenue.

Talbot, quant à lui, portait un costume sombre qui accentuait son élégance naturelle. Il était très séduisant, dut-elle reconnaître, même si son côté sombre la mettait mal à l'aise.

Nina fut la première à rompre le silence.

— Salut, Carlos ! En voilà une surprise ! Je suppose que tu connais Talbot, mais je serais ravie que tu me présentes ton amie…

Carlos se leva, une expression tendue sur le visage qu'elle fut certainement la seule à remarquer.

— Nina, Talbot… Quelle surprise, en effet ! Je ne savais pas que vous vous connaissiez, tous les deux. Euh… Je vous présente Mia Gardiner. Mia et moi, ajouta-t-il après une légère hésitation, songeons à nous marier. Nous n'en sommes encore qu'au stade de la réflexion, donc, souhaitez-nous bonne chance !

Un silence de plomb accueillit ses paroles.

Nina ne dit rien, mais l'expression de son visage en disait long sur ses sentiments. Elle avait l'air horrifiée et des larmes affluaient à ses paupières.

— Le choix des termes est assez curieux, je dois dire, finit par répliquer Talbot. Surtout, tenez-nous au courant de votre… réflexion. Nous rentrons à Sydney demain. Peut-être aurons-nous l'occasion de nous voir là-bas ? Ravi de vous avoir rencontrée, Mia. Tu viens, Nina ?

L'air hébété, Nina suivit docilement Talbot.

Carlos se rassit, mais se releva aussitôt.

— Sortons d'ici, dit-il d'un ton brusque.

— Mais… et l'addition ?

— Ne t'inquiète pas pour ça. Ils me connaissent.

Ils roulèrent en direction du phare dans un silence contraint. Il faisait frais et l'obscurité les enveloppait, la lune étant cachée par un épais manteau de nuages.

— Il va pleuvoir demain. J'imagine que ce temps maussade est le signe annonciateur de la fin de notre idylle, dit Carlos d'une voix lugubre. Allez, dis-le ! Je devine de toute façon ce que tu as l'intention de me dire : *« Comment as-tu pu me faire une chose pareille, Carlos ? »*

Mia s'éclaircit la gorge.

— Tu as raison, avoua-t-elle. J'allais te poser cette question, et j'ai toujours l'intention de le faire. Comment as-tu pu me faire ça, Carlos ?

Il leva un sourcil sarcastique.

— N'est-ce pas pourtant la vérité ? Je réfléchis au mariage depuis un certain temps déjà et j'aurais pu jurer que tu commençais toi aussi à réviser ton jugement.

Mia s'efforça de réfléchir posément.

— Carlos, dit-elle en luttant contre les larmes, crois-tu que Nina sort avec Talbot juste parce que tu as rompu avec elle et qu'elle cherche à se venger ?

— J'en ai bien peur.

— Lui as-tu parlé depuis que tu as rompu avec elle ?

— Non.

— A-t-elle essayé de te joindre ?

— Je te rappelle que c'est elle qui a rompu, Mia ! s'écria-t-il avec véhémence, avant de hausser les épaules. Elle a en effet laissé des messages, mais j'étais à l'étranger la plupart du temps… Seigneur, pourquoi *lui* ?

— Peu importe qui elle a choisi, cela ne change strictement rien. Quel que soit l'heureux élu, tu es bouleversé car tu éprouves toujours des sentiments pour elle. Et vu la manière dont elle t'a regardé ce soir, c'est réciproque ! Quoi qu'il en soit, il ne s'agit pas de *moi*, vois-tu ? Je n'ai été qu'un pis-aller durant toutes ces semaines et je veux que cela cesse.

En dépit des larmes qui roulaient sur les joues de Mia, Carlos voyait à son expression déterminée qu'elle ne plaisantait pas.

— Mia… il y a quelque chose que tu ne comprends pas, dit-il d'une voix dure. Je crois que je me sentirai toujours coupable vis-à-vis de Nina, jusqu'au jour où je la verrai enfin heureuse avec un homme.

— Coupable ? s'étonna Mia. Mais pourquoi ?

— Parce qu'elle est devenue malgré elle l'otage d'un conflit entre mon père et moi.

— Tu as raison. Je… je ne comprends pas !

Carlos se frotta le visage de la main d'un geste las.

— Mon père ne l'appréciait guère.

Mia eut un hoquet de surprise.

— C'était bien le seul !

Carlos grimaça un sourire.

— Sans doute. Mais comme je croyais que, fidèle à lui-même, il critiquait mes choix uniquement par principe, je voulais lui prouver qu'il se trompait. Hélas, il avait raison, admit-il dans un soupir. Je ne sais pas si Nina fera un jour une bonne épouse et une bonne mère, mais cela mis à part et en dehors de l'attirance initiale que j'ai éprouvée pour elle, Nina et moi n'avons jamais été faits l'un pour l'autre, seulement je refusais de l'admettre parce que je ne pouvais supporter de donner raison à mon père.

Il remarqua son air estomaqué, comme si elle avait reçu un coup en pleine poitrine, mais poursuivit imperturbablement :

— Et je crains fort d'avoir procuré à Nina un faux sentiment de sécurité, d'autant que je lui ai donné à entendre que je serais toujours là pour elle, quoi qu'elle fasse. Dans un sens, elle était en droit de s'attendre à ce que je l'épouse et rien que pour cette raison, je me sentirai toujours coupable vis-à-vis d'elle. Et dire que maintenant elle est tombée dans les griffes de Talbot !

Il passa une main dans ses cheveux, puis, voyant Mia frissonner, retira sa veste et la posa sur ses épaules.

Mia croisa les bras sur la poitrine dans un effort pour se réchauffer, et prit sa décision — difficile, mais nécessaire.

— Je… Je crois que tu n'as toujours pas tourné la page avec Nina et j'ai bien peur que cela n'arrive jamais.

— Mia…

— Non, coupa-t-elle. Laisse-moi finir. Je ne veux pas être celle qui brise le cœur de Nina, pas plus que je ne souhaite te pousser à faire quelque chose que tu ne désires pas vraiment.

Le silence entre eux sembla s'éterniser jusqu'à ce que Carlos finisse par le rompre.

— Nous avons quand même passé de bons moments ensemble, n'est-ce pas ?

Se remémorant les jours merveilleux qu'ils venaient de vivre, elle acquiesça.

— C'est vrai, murmura-t-elle avant de s'essuyer les yeux d'un revers de la main.

Il l'attira dans ses bras.

— Ne pleure pas. S'il te plaît, ne pleure pas. Je me sens déjà assez mal comme ça !

Ravalant ses larmes, elle chercha au plus profond de son cœur les mots justes qui mettraient fin à leur liaison sans que Carlos ne se rende compte de l'amour qu'elle éprouvait pour lui.

— Je me suis toujours sentie vulnérable et peu sûre de moi, incapable de briser les chaînes de mon passé.

Elle hésita quelques instants et laissa son regard errer sur la mer turquoise.

— Maintenant, grâce à toi, je me sens différente, dit-elle lentement : capable d'aller de l'avant et d'être enfin moi-même.

Carlos ne dit rien, mais l'expression tendue de son visage et son regard à la fois dur et torturé en disaient long sur ses sentiments.

Mia prit une profonde inspiration avant de poursuivre :

— Cependant, il est temps que nos chemins se séparent. Tu comprends, n'est-ce pas ?

— Tu n'essaierais pas de me pousser dans les bras de Nina, par hasard ?

— Ce n'est pas mon rôle, riposta-t-elle. C'est à toi de savoir ce que tu veux ; personne ne peut le faire à ta place. Je veux juste te faire comprendre que tu n'as pas à t'inquiéter pour moi.

Il saisit sa main et déposa un baiser au creux de sa paume.

— Je vais te ramener au motel, dit-il, puis je rentrerai à Sydney. Si tu as besoin de quoi que ce soit, n'hésite pas à me le demander. Mais tu recommences à pleurer !

— La plupart des femmes ont au moins une fois dans leur vie pleuré à cause d'un homme. En général, celui qui a résisté à leurs avances, précisa-t-elle avec un petit sourire. Mais crois-moi, c'est ce que je veux.

Il la fixa longuement et, voyant qu'elle ne fléchissait pas, ferma les yeux et poussa un profond soupir.

S'inclinant, elle déposa un baiser sur ses lèvres.

— Allons, dit-elle en se forçant à sourire, inutile de prolonger cette discussion.

De retour au motel, Carlos régla la facture et mit moins de dix minutes pour se changer et boucler sa valise.

Puis il se tourna vers Mia qui se tenait devant lui dans sa jolie robe bleue, s'efforçant de retenir ses larmes.

— Au revoir, murmura-t-elle d'une voix à peine audible. *Vaya con dios…*

Son expression s'adoucit quand il l'entendit le saluer en espagnol.

— Toi aussi, Mia, murmura-t-il.

Là-dessus, il tourna les talons et sortit.

Mia resta immobile durant de longues minutes, craignant de se briser en mille morceaux si elle esquissait le moindre geste. Puis elle s'allongea sur le lit et saisit un oreiller qu'elle serra dans ses bras.

Elle devait aller de l'avant. Poursuivre sa route en espérant que la douleur finirait par s'estomper. De toute façon, elle n'avait pas le choix. Elle se savait incapable de vivre d'espoirs et de rêves… pour déchanter ensuite.

L'autoroute qui reliait Byron Bay à Sydney était par moments étroite et tortueuse et toujours très fréquentée. Même dans de bonnes conditions climatiques, ce n'était pas une route facile, mais tard dans la nuit et sous une pluie battante, celle-ci nécessitait adresse et concentration.

Malgré tout, Carlos ne prêtait guère attention à sa conduite tant il était plongé dans ses pensées. Il ne s'était pas montré très persuasif avec Mia. Et, franchement, après la rencontre inopinée de Nina et de Talbot au restaurant, qui pouvait la blâmer de vouloir se retirer du jeu ?

D'autant qu'après lui avoir révélé que Nina savait pertinemment ce qu'elle faisait en s'affichant sans vergogne avec Talbot — et surtout après la manière intense dont Nina l'avait regardé —, il lui était difficile de prétendre que leur histoire était terminée.

Mais l'était-elle vraiment ? se demanda-t-il soudain. En dehors bien sûr de l'explication qu'il lui devait ? Pouvait-il s'exposer de nouveau au tourbillon d'émotions qu'impliquerait une vie avec Nina ?

Il réalisa soudain qu'il aurait pu renouer avec Nina s'il n'avait pas entre-temps rencontré Mia. Il aurait pu se laisser attirer par la routine confortable de leur relation, et la culpabilité qu'il avait toujours ressentie vis-à-vis de Nina aurait fait le reste.

Il poussa un soupir. Dire que la femme qu'il voulait épouser était disposée à coucher avec lui mais pas à se marier avec lui. Quelle ironie, tout de même !

Mais comment lui en vouloir ? Le choc qu'elle avait ressenti en apprenant qu'il s'était servi de Nina dans sa guerre contre son père lui avait-il rappelé la façon dont elle-même avait été traitée à West Windward ?

La crainte d'être une fois de plus considérée comme un simple pis-aller l'avait-elle jamais quittée ? Pourrait-elle un jour s'affranchir de son passé ? Certes, elle s'était donnée à lui sans retenue, mais lui avait-elle ouvert son cœur ? Elle n'avait certainement pas montré beaucoup d'enthousiasme à l'idée de l'épouser.

Or voilà qu'il roulait à toute vitesse en direction de Sydney pour empêcher Nina de se lier à Talbot Spencer. Pourquoi ?

Etait-ce seulement parce qu'il éprouvait un sentiment de culpabilité vis-à-vis de Nina ? Ou bien ressentait-il le besoin d'exorciser ses propres démons pour revenir ensuite vers Mia, enfin libre de toute entrave ?

Si tant est qu'elle acceptât de le revoir…

8.

Quatre mois plus tard, assise à son bureau, Mia regardait par la fenêtre. C'était son dernier jour à Bellbird.

L'ultime réception avait eu lieu la veille et un camion de déménagement se tenait dehors, prêt à embarquer l'équipement qu'elle louait à l'année — chaises, tables, nappes et autres ustensiles de cuisine.

Son bureau n'avait jamais été aussi bien rangé. Ses affaires personnelles étaient dans un carton et il ne restait sur son bureau que le téléphone, un stylo et un bloc-notes.

Ses quatre derniers mois avaient été bien remplis et elle avait honoré tous ses contrats. Elle partait avec un excellent carnet d'adresses qui devait, l'espérait-elle, l'aider dans son nouveau projet d'entreprise, même si, hélas, pour l'instant, elle n'avait encore rien trouvé.

Elle n'avait pas eu de nouvelles de Carlos depuis leur séparation. Les seuls contacts qu'elle avait eus avaient été avec sa secrétaire, Carol Manning, et on ne lui avait pas demandé d'organiser d'autres événements pour le compte de O'Connor Constructions.

Quelques semaines auparavant, alors qu'elle parcourait d'un regard distrait un journal, elle avait manqué de s'évanouir en voyant un article intitulé : « Le mariage O'Connor s'est déroulé sans anicroche malgré le mauvais temps ! »

Elle avait aussitôt fermé les yeux, proche de la nausée. Carlos et Nina s'étaient mariés, lui avait soufflé une petite voix insidieuse. Mais quand elle s'était forcée à ouvrir les yeux et à lire l'article, elle s'était rapidement rendu compte qu'il ne s'agissait pas de Carlos O'Connor, mais de sa mère !

Celle-ci s'était remariée avec un chef cuisinier qui avait préparé son propre gâteau de mariage !

En lisant ces lignes, elle s'était étranglée à tel point que Gail, l'entendant tousser, était accourue pour lui taper dans le dos.

— Je n'y crois pas, s'était-elle exclamée.

— Quoi donc ?

— Sa mère épouse un chef cuisinier !

— C'est toujours utile d'avoir un chef à la maison, avait rétorqué Gail. La mère de qui, au fait ?

— La mère de Carlos.

— Oh, lui !

Gail avait haussé les épaules d'un geste désinvolte. Après la rupture avec Mia, Carlos avait perdu de son aura auprès de la jeune femme.

— Je me souviens d'elle. Petite, brune, avec un grand chapeau, avait poursuivi Gail en lui lançant un regard étonné. Y a-t-il quelque chose de mal à épouser un chef ?

— Oui. Enfin, non, mais… Arancha étant ce qu'elle est…

— C'est clair comme de l'eau de roche, avait ironisé Gail.

Mia n'avait pu s'empêcher de rire.

— Disons qu'Arancha est quelqu'un d'assez snob !

Et aujourd'hui — quelques semaines seulement après le mariage d'Arancha et la veille de son départ —, Mia se retrouvait seule. Même Gail était partie. Elle avait trouvé un emploi dans un hôtel-restaurant de Sydney.

Seuls Bill et Lucy restaient sur place pour entretenir les jardins de la propriété ; Bill se réjouissait d'ailleurs à l'avance à la perspective de retrouver enfin son autonomie.

Même Long John était parti ; Mia l'avait donné à Harry Castle, la seule personne au monde à part Gail et elle que le cheval ne mordait pas.

Elle devait cesser de s'apitoyer sur son sort et voir le bon côté des choses, se morigéna-t-elle en voyant le camion de déménagement s'éloigner, la laissant désormais entièrement seule. Pourquoi ne pas jouer à la châtelaine, son rêve depuis toujours ?

Elle se leva et baissa les yeux sur sa tenue : une longue jupe fleurie et un chemisier blanc en broderie anglaise. Ses cheveux étaient noués en un chignon lâche qui accentuait son côté romantique et elle avait même en sa possession un grand chapeau de paille, oublié par une cliente dont elle n'avait jamais pu retrouver la trace. Elle avait aussi à sa disposition un luxueux service à thé qui faisait partie intégrante du patrimoine de Bellbird, du thé et une bouilloire, sans oublier le citronnier du verger. Bref, toute la panoplie de la parfaite châtelaine…

Dix minutes plus tard, elle était assise dans un fauteuil en osier sous la véranda, une tasse de thé au citron placée sur la table basse devant elle, à regarder le soleil de cette fin d'après-midi d'été jeter ses doux rayons sur les jardins et sur la montagne au loin. Elle prit une profonde inspiration et ferma les yeux, s'imprégnant de la magie des lieux.

Perdue dans ses réflexions, il lui fallut un certain temps avant de se rendre compte qu'un vrombissement de moteur se rapprochait. Un bruit qu'elle aurait reconnu entre mille. Ne s'arrêtait-il pas *toujours* dans un crissement de pneus ?

Ouvrant les yeux, elle vit Carlos, debout devant elle. Submergée par l'émotion, elle porta la main à sa bouche.

— C'est toi ! murmura-t-elle. J'ai cru un instant que je rêvais !

Il posa un pied sur la marche et s'adossa nonchalamment à la balustrade. Il portait un pantalon cargo, une chemise sombre et ses cheveux étaient ébouriffés par le vent — sans doute avait-il roulé avec le toit ouvert. A le voir ainsi, plus séduisant encore que dans ses souvenirs, elle sentit son pouls s'accélérer et son cœur se mettre à danser la sarabande.

L'espace d'un instant, elle crut sentir l'air du large,

entendre le bruit des vagues et voir l'océan qui s'étendait à perte de vue au large du Cap Byron…

— Je ne pouvais pas te laisser partir sans m'être assuré que tout allait bien, dit-il d'un ton neutre.

Apercevant le joli service à thé en porcelaine de Chine sur la table basse à côté de Mia, il eut un bref sourire.

— Tu jouais à la châtelaine ?

— Oui, admit-elle avec un sourire gêné.

— Où comptes-tu aller, Mia ?

— Je… Chez mes parents, pendant quelque temps.

— Je croyais qu'ils parcouraient l'Australie en camping-car ?

— C'est le cas. Leur maison est donc vide en ce moment. Je peux y séjourner aussi longtemps que je le souhaite, mais je ne resterai que le temps de… de m'organiser.

Les sourcils froncés, Carlos la regardait triturer ses doigts d'un geste nerveux.

— Donc, pas de projets bien définis pour l'instant ?

— Euh… j'en ai un ou deux. Mais ces choses-là prennent du temps, protesta-t-elle.

Mia s'efforçait d'avoir l'air calme et détachée, mais en vérité, elle désespérait de trouver un endroit susceptible d'accueillir son activité. De plus et malgré tous ses efforts, elle était totalement démotivée — même si elle n'était pas prête à l'admettre.

— A fait, j'ai appris, pour ta mère ! dit-elle, dans l'espoir de changer de sujet.

— J'avoue qu'elle nous a tous surpris, mais ils ont l'air très heureux ensemble, en dépit du fait que son mari ne soit *que* chef cuisinier ! Un chef étoilé, tout de même, ajouta-t-il avec un léger sourire. Cela dit, le mariage l'a transformée. Elle semble apaisée et contente de son sort.

— Je suis heureuse pour elle, murmura Mia avec un sourire crispé. Comment va Juanita ?

— Bien. Elle attend un bébé, à la grande joie de maman !

— En voilà une bonne nouvelle !

Un silence tendu s'installa que Carlos finit par rompre.

— Comment comptes-tu te rendre chez tes parents ?

— Je me suis acheté un break. Je peux facilement y caser toutes mes affaires ; je n'en ai pas tant que ça !

Il leva un sourcil interrogateur.

— Mais pas Long John, tout de même ! Comptes-tu utiliser pour lui les services d'un transporteur de chevaux ? s'enquit-il avec un sourire amusé. Je serais curieux de voir ça ! Long John mord-il aussi ses congénères ?

Deux petites fossettes apparurent sur le visage de Mia, tandis qu'elle lui expliquait les raisons qui l'avaient poussée à donner son cheval à Harry Castle.

— Ah, voilà qui est mieux !

— Quoi donc ?

— Je n'ai pas vu ces fossettes depuis longtemps !

Mia rougit, mais ne releva pas.

— Au fait, dit-elle, j'ai établi un inventaire complet de la vaisselle et des objets en porcelaine. Tu devrais peut-être vérifier avec moi que tout est en ordre.

— Non, ce n'est pas la peine.

— Mais il y a des choses superbes ! protesta-t-elle.

— S'il y a des choses qui te plaisent, n'hésite pas à te servir et il en va de même pour Lucy et Bill et pour la mère de Gail.

— C'est gentil à toi, mais… Cela ne t'intéresse pas, n'est-ce pas ? demanda-t-elle, une lueur de souffrance au fond des yeux.

L'idée que Bellbird puisse être ainsi vidé de ses trésors lui déchirait le cœur. Ces objets ne valaient certes pas une fortune, mais ils étaient magnifiques et avaient pour elle une valeur sentimentale.

Carlos se redressa et croisa les bras.

— Mia, tu ne veux pas de Bellbird. Tu as été très claire là-dessus. Je vais donc mettre la propriété en vente, dès que tu seras partie.

Mia eut l'impression de recevoir une flèche en plein cœur. Elle eut un hoquet de surprise et blêmit.

Carlos jura entre ses dents.

— Que croyais-tu que j'allais en faire ? s'écria-t-il d'une voix dure. Que me conseilles-tu d'en faire ?

— Tu m'as dit que tu trouvais la propriété suffisamment belle pour être achetée sur un simple coup de cœur !

— Pas si tu ne l'habites pas.

— Je pensais qu'avec toi, Bellbird serait à l'abri, s'écria-t-elle d'une voix animée par la passion. A l'abri d'acheteurs ou de promoteurs en tout genre qui n'hésiteraient pas à abattre ce petit bijou pour construire à la place des lotissements ou autres monstruosités. Cela arrive tous les jours !

— Cela ne risque pas d'arriver dans un proche avenir, Mia, dit-il d'une voix conciliante.

Bouleversée, elle recommença de se triturer les doigts.

— Ne me dis pas que tu reconsidères ta position ?

Elle déglutit et détourna la tête sans répondre.

— Regarde-moi, Mia, intima-t-il. As-tu changé d'avis ?

— Non, murmura-t-elle d'une voix à peine audible.

— Alors, pourquoi es-tu si bouleversée ? Est-ce l'idée de partir d'ici qui te met dans un tel état ?

— J'allais très bien avant que tu n'arrives. J'étais peut-être un peu mélancolique, admit-elle avec un sourire penaud, mais j'arrivais encore à maîtriser mes émotions… Et *toi*, que deviens-tu ?

Il grimpa les quelques marches qui les séparaient et s'assit sur la chaise à côté d'elle, après en avoir retiré le chapeau de paille qu'il posa sur le sol.

— Nina a épousé Talbot.

Mia sursauta.

— Pourquoi ? dit-elle dans un souffle. Pourquoi l'as-tu laissée faire ? Et pourquoi les médias n'en ont-ils pas fait état ?

Il haussa les épaules.

— Pose-lui la question. Quant à la laisser faire, je ne vois pas comment j'aurais pu l'en empêcher ! Et si les médias n'en ont pas parlé, c'est parce qu'ils se sont mariés à l'étranger ; ils s'y sont même installés.

Mia écarquilla les yeux. Elle n'en croyait pas ses oreilles.

— Elle avait pourtant l'air dévastée ce soir-là, à Byron.

— Nina est bonne actrice.

— Elle avait pourtant l'air charmante !

— Oh ! elle l'est… la plupart du temps ! Mais sous le vernis de la bienséance se cache une jeune femme gâtée au tempérament changeant. Qui sait ? Talbot est peut-être la seule personne capable de composer avec elle ? Et elle est peut-être celle qui tirera le meilleur de lui ? D'ailleurs, quand je les ai vus à l'aéroport récemment, j'ai été surpris de les voir si heureux.

— Eprouves-tu de la jalousie ? Tu peux me le dire, tu sais.

Carlos saisit le chapeau de paille et le fit virevolter.

— En toute honnêteté, confia-t-il, je me sens soulagé. Je ne sais pas si Nina l'a épousé par dépit et je ne le saurai sans doute jamais, mais une chose dont je suis sûr est que cela n'aurait jamais marché entre nous. Si je ne l'avais pas su au plus profond de moi-même, je l'aurais sans doute épousée depuis longtemps.

Il n'avait pas dit qu'il n'éprouvait plus de sentiments pour Nina, se dit Mia, le cœur serré, se demandant ce qui serait pire : savoir Nina malheureuse en ménage ou au contraire heureuse ?

Pensive, elle se leva et s'accouda à la balustrade. Les hortensias qui bordaient la terrasse et qui avaient si bien orné la soupière Wedgewood lors du mariage de Juanita se mouraient désormais. Dans l'ensemble, les fleurs du jardin arboraient leur tenue automnale, comme le disait Bill.

Laissant son regard errer au loin, elle s'imaginait déjà le jardin retourner à l'état d'abandon, la propriété morcelée en plusieurs lots et la maison modernisée ou tout bonnement négligée, et à cette pensée son esprit se révulsa.

— Accepterais-tu de… t'associer avec moi ? s'enquit-elle soudain d'une voix tremblante.

Elle entendit son hoquet de surprise et se prépara à affronter son rejet, son mépris et même sa colère.

— Qu'entends-tu par là ?

Elle pivota lentement comme elle essayait de rassembler ses idées.

— Mon agence était certes modeste, mais plutôt florissante, même si cela n'a pas été facile tous les jours, expliqua-t-elle. Je n'ai pu me lancer qu'avec un prêt bancaire et la majeure partie de mes bénéfices servait à rembourser mon prêt et à payer mon loyer. Mais avec un partenaire, surtout si celui-ci est propriétaire des lieux, je pourrais faire beaucoup plus de choses.

— Comme quoi ?

— Renouveler le mobilier et les divers équipements qui sont vraiment en piteux état, par exemple. Organiser des représentations musicales, telles que des quatuors de musique classique, des concerts de jazz ou de musique contemporaine. Organiser des anniversaires pour enfants…

A bout de souffle, elle se tut.

Il fronça les sourcils, attendant la suite.

— Je veux bien sûr parler d'anniversaires à thème, avec un chapiteau, un carrousel, des châteaux, des fées et pour les garçons des cow-boys et des promenades à poney, poursuivit-elle d'une voix hésitante. Je pense être capable de transformer Bellbird en une entreprise de prestige. Avec beaucoup de travail et de… flair, le retour sur investissement devrait être payant.

Le seul son qu'elle entendit dans le silence qui s'ensuivit fut le chant des méliphages carillonneurs.

— J'ai également pensé installer une suite nuptiale. Depuis l'enclos, la vue est magnifique. On pourrait construire un chalet luxueux avec cheminées à foyer ouvert et repas gastronomiques — un lieu idyllique pour une nuit de noces… Est-ce la peine que je continue ? finit-elle par demander devant son mutisme persistant.

— C'est d'accord, répondit-il d'un ton brusque. Si c'est ce que tu souhaites, je ferai établir les contrats.

Il se leva et lui tendit son chapeau.

— Vous pouvez défaire vos bagages, mademoiselle Gardiner…

Mia le dévisagea, le cœur au bord des lèvres. Jamais elle ne l'avait vu aussi froid et distant.

— Carlos…

Il leva un sourcil interrogateur.

— Oui ? Tu disais ?

— Je… Non, rien, balbutia-t-elle.

— Rien, répéta-t-il en effleurant du bout des doigts son visage. J'imagine effectivement que rien n'a changé… Bien, je prendrai contact avec toi, à moins que ce ne soit Carol.

Pivotant sur ses talons, il descendit les marches et s'éloigna. L'instant d'après, Mia entendit sa voiture s'éloigner.

— Mais qu'ai-je donc fait ? soupira-t-elle.

9.

Six mois plus tard, Mia et Gail étaient assises dans le bureau de Mia et discutaient de leur prochaine réception à organiser — un baptême.

La première chose que Mia s'était empressée de faire après sa discussion avec Carlos, la veille de son départ, avait été de débaucher Gail de son poste de Sydney, puis d'envoyer à tous ses anciens clients des dépliants pour les informer que Bellbird allait rouvrir ses portes après quelques travaux de rénovation, et avec de nouvelles attractions.

Les mois suivants, sa vie avait été une véritable course contre la montre. Les réunions avec les architectes et les décorateurs d'intérieur s'étaient enchaînées et la supervision des travaux lui avait pris tout son temps. La rénovation de la maison avait été terminée en premier et Mia avait été ravie et soulagée de voir qu'elle affichait complet dès le premier mois. Puis, une fois la suite nuptiale achevée, le premier couple de jeunes mariés avait été si impressionné qu'ils avaient voulu prolonger leur séjour.

En revanche, le coin réservé aux enfants n'était pas encore terminé, même s'il était en bonne voie. Mia l'avait baptisé l'Arche de Noé, en raison de son magnifique arc de bois et de la collection d'animaux en peluche ou de bois qui la composait — chevaux à bascule, koalas, ours et deux superbes licornes blanches.

Mais durant toute la durée des travaux, jamais elle n'avait eu de nouvelles de Carlos. Fidèle à sa parole, il s'était tenu à l'écart, chargeant sa secrétaire, Carol, de gérer les détails financiers et les relations avec les fournisseurs.

Mia s'était maintes fois demandé si elle allait devoir s'occuper des réceptions de O'Connor Constructions, mais on ne lui avait jusqu'à présent rien demandé. Cependant, l'état de grâce semblait bel et bien terminé puisqu'elle venait d'être sollicitée pour organiser la réception de baptême du bébé de Juanita.

— *Des* bébés de Juanita, précisa-t-elle en raccrochant. Juanita a eu des jumeaux !

Gail se mit à rire.

— Cela ne changera pas grand-chose pour nous, dit-elle. Mais que veut-elle précisément ?

— Eh bien, la cérémonie aura lieu dans l'église du village et sera suivie d'un déjeuner ici, dans la maison ou dans le jardin, selon le temps prévu. Ensuite, vu le nombre important d'enfants invités, elle aimerait qu'ils puissent se rendre à l'Arche de Noé.

— Tu voulais justement tester l'aire de jeux. Profite de l'occasion ! Combien de temps avons-nous pour organiser cette réception ?

— Un mois. Et nous n'avons pas à nous inquiéter pour le gâteau ; le grand-père par alliance des jumeaux s'en occupe.

Gail sourit d'un air espiègle.

— Ne t'avais-je pas dit qu'il était pratique d'avoir un chef cuisinier dans la famille ?

— C'est vrai, admit-elle avec un bref sourire.

— Des nouvelles de leur oncle ?

Mia leva un sourcil interrogateur.

— Carlos, précisa Gail. Tu sais, l'homme qui t'a laissée le cœur en miettes. Tu t'en souviens ?

— Il ne m'a pas laissée le cœur en miettes ! protesta-t-elle.

Gail se contenta de la fixer sans rien dire.

— Bon, d'accord ! concéda-t-elle. Mais je ne peux rien te dire le concernant, puisque cela fait des mois que je n'ai pas eu de ses nouvelles. Il est peut-être marié, qui sait ?

— Cela m'étonnerait, assura Gail en se levant. Mais ce serait peut-être une bonne idée de consolider tes défenses…

— Oui, mais comment ? s'enquit-elle, la gorge nouée.

— Dis-toi que, quoi qu'il en pense, tu avais de bonnes raisons d'agir ainsi.

— Et si toi-même tu n'en es pas convaincue ?

— Mia…, dit-elle en prenant appui sur le bureau, fie-toi à ton instinct. Si tu sens que quelque chose ne tourne pas rond, c'est que c'est certainement le cas.

— Comment se fait-il que tu sois de si bon conseil ?

Gail haussa les épaules et se redressa.

— Selon ma mère, il est plus aisé de comprendre les problèmes des autres que les siens. Allez, je te laisse organiser ce baptême !

Les conditions météorologiques annoncées pour le jour du baptême prévoyaient de la pluie et du vent, selon le journal que lisait Mia.

Marmonnant des imprécations, elle prit la seule décision qui s'imposait : dresser la table dans la salle à manger. Pas question en effet de prendre le risque d'un baptême sous la pluie !

La salle à manger était d'ailleurs déjà en partie décorée et il ne restait plus qu'à peaufiner les derniers détails. Au lieu d'avoir choisi des rubans dans des tons pastel comme il était d'usage pour ce genre de cérémonie, elle avait préféré opter pour des couleurs plus prononcées qui se mariaient à la perfection avec l'or et l'argent.

S'apercevant que certains rubans étaient en train de se dénouer, elle alla chercher un escabeau et grimpa dessus pour tout remettre en place. C'était un travail éprouvant de monter et descendre de l'escabeau et de le déplacer autour de la salle, et ce fut sans doute la raison pour laquelle les choses faillirent mal tourner.

Sans doute n'avait-elle pas bien positionné l'escabeau car,

quand elle commença à en descendre les marches, celui-ci se mit à osciller et elle perdit l'équilibre. Dans un cri, elle chuta et serait tombée si des bras fermes et puissants ne l'avaient pas saisie au vol.

Sous le choc, il lui fallut quelques secondes pour réaliser qui l'avait rattrapée. Ne rêvait-elle pas ?

— Mia ! s'écria Carlos. Tu aurais pu te casser le cou ! Ne peux-tu faire un peu attention ?

— Carlos, murmura-t-elle faiblement, toujours blottie dans ses bras. Comme c'est amusant !

— Quoi donc ?

— Cela fait des mois que je ne t'ai pas vu, mais une fois encore, nous nous retrouvons à l'occasion d'un accident, expliqua-t-elle en se libérant de son étreinte. Enfin… ça aurait pu l'être, si tu ne m'avais pas sauvée à temps ! Merci mille fois ! Mais que fais-tu ici ? Le baptême n'est pas avant demain.

Il la dévisagea, le front barré d'un pli soucieux.

— Je sais. Je suis venu te voir.

Elle fronça à son tour les sourcils.

— Comptes-tu retourner ce soir à Sydney et revenir demain matin pour le baptême ?

Il secoua la tête.

— Je passe la nuit ici.

Mia le dévisagea, bouche bée.

— Pas dans ta mezzanine, rassure-toi, poursuivit-il. Mais si j'en crois ce que Gail a dit à Carol, la suite nuptiale est inoccupée ce soir. Ce serait donc l'occasion ou jamais de la tester. J'ai aussi pensé qu'il était temps que tu me fasses une visite guidée de tous les changements et améliorations que tu as effectués.

— Mais bien sûr ! Je me demandais d'ailleurs quand tu viendrais voir les travaux que tu as financés.

Ils se dévisagèrent longuement en silence.

Le feu aux joues, Mia sentait le sang battre à ses tempes, tandis que son cœur dansait la sarabande. Elle avait l'impression que Carlos était plus grand que dans son souvenir, avant de réaliser avec effroi qu'elle était pieds nus. Mortifiée, elle chercha ses chaussures du regard.

— Je dois te donner l'impression d'être très mal organisée, balbutia-t-elle. En fait, c'est juste que… Pourquoi voulais-tu me voir ?

— Devons-nous vraiment parler ici ?

— Non, bien sûr. Où veux-tu aller ?

— Pourquoi ne pas commencer par l'Arche de Noé ?

— Les travaux sont achevés depuis à peine une semaine, expliqua Mia. C'est donc une première pour nous. Attention, cela ne veut pas dire que les invités de Juanita vont servir de cobayes. Tout est sécurisé et en parfait état. J'espère juste que cela plaira aux enfants.

Carlos saisit une girafe de bois et sourit brièvement.

— Ils vont adorer, assura-t-il.

— Il y a aussi des jeux pour les enfants plus âgés.

— C'est parfait, rétorqua-t-il d'un ton détaché.

Surprise, elle leva les yeux vers lui.

— Quelque chose ne va pas ?

Il était si froid qu'elle n'arrivait pas à le cerner. C'était un peu comme si un inconnu se tenait devant elle et non pas l'homme qu'elle connaissait depuis toujours.

— Je suis fatigué, c'est tout. Je viens tout juste de rentrer d'Europe, dit-il en guise d'explication. Allez, montre-moi cette fameuse suite nuptiale !

Mia hésita, peu convaincue.

— D'accord. Laisse-moi prendre les clés et nous pourrons nous y rendre ensuite avec ta voiture.

Fort heureusement, Gail était partie à Katoomba faire une course, aussi Mia n'eut-elle pas à lui fournir d'explications en venant chercher les clés. Elle en profita pour remplir un panier de fruits et de petits pains qu'elle emporta.

— Nous y sommes, dit-elle quelques instants plus tard en pénétrant dans le luxueux chalet.

Carlos balaya du regard l'opulence des lieux, admirant l'élégante cheminée en pierre et les superbes toiles accrochées au mur.

S'approchant de la fenêtre, Mia tira les rideaux et laissa entrer la lumière, souriant au panorama spectaculaire qui s'offrait à sa vue. Les rayons de soleil qui jouaient sur le feuillage en contrebas, en cette fin d'après-midi, la mettaient toujours autant en joie.

Elle se tourna vers Carlos, un large sourire aux lèvres.

— Contrairement aux apparences, ils annoncent de la pluie pour demain. Je vais te laisser te reposer, maintenant. J'ai apporté un panier de victuailles au cas où tu aurais faim. Cependant, ajouta-t-elle en ouvrant la porte du réfrigérateur, il devrait y avoir ici un plateau-repas. Oui. Du saumon fumé, des anchois, des olives, de la bière aussi, et du champagne.

Ouvrant un placard, elle sortit une cafetière.

— Tu trouveras ici du café, du thé, et ici…

Elle se tut car Carlos s'était approché d'elle et lui prenait la main.

— Tu n'es pas obligée de me faire la visite détaillée, Mia.

— Tu as pourtant payé pour tout ceci, protesta-t-elle. Et je ne t'ai pas encore montré la chambre.

Il haussa les épaules.

— Assieds-toi, intima-t-il. Où sont les verres ?

Après une légère hésitation, elle lui indiqua le placard où se trouvaient les verres.

— Champagne ? dit-il, lui lançant un regard interrogateur.

— Pourquoi pas ? Un verre ne peut pas me faire de mal.

En voyant le regard amusé de Carlos, elle rougit et s'assit sur un des tabourets du bar, après avoir failli le renverser.

Feignant d'ignorer son trouble, Carlos déboucha la bouteille et versa le vin pétillant dans deux flûtes.

— A ta santé !

Il lui tendit un verre, puis s'assit en face d'elle.

Mia trinqua avec lui, puis but une gorgée de champagne.

— Je peux préparer un en-cas, si tu veux, dit-elle, faisant mine de se lever. Cela ne prendra pas longtemps.

— Reste assise, Mia !

Elle se figea.

— Dis-moi, ajouta-t-il. Es-tu heureuse ?

— Les… affaires vont bien, balbutia-t-elle.

— Ce n'est pas exactement la même chose, fit-il remarquer. Quoique… dans ton cas, peut-être que si.

— Qu'entends-tu par là ?

Il baissa les yeux sur son verre.

— Il y a six mois de cela, je suis venu te voir pour réitérer ma demande en mariage.

Elle écarquilla les yeux de surprise.

— Je voulais t'annoncer que Nina s'était mariée et te suggérer de laisser le passé derrière nous — pas seulement Nina, mais West Windward, aussi. Je voulais te parler des bons moments que nous avons passés ensemble à Byron Bay.

Il marqua une pause et l'étudia de près. Elle était secouée de frissons irrépressibles.

— Mais quelle n'a pas été ma surprise de découvrir que la seule chose qui semblait t'affecter était la vente de Bellbird. Cette simple perspective t'a mise au bord des larmes et t'a poussée à me proposer un partenariat. C'est pourquoi je me demande si réussir ta carrière professionnelle suffit à ton bonheur…

Mia émit un bruit de protestation.

— A moins que tu ne m'aies toujours pas pardonné la façon dont je t'ai traitée à West Windward ? Et que tu ne puisses envisager autre chose qu'une relation d'affaires avec moi ?

— Tu n'espérais pas que j'allais te tomber dans les bras après avoir appris que Nina et Talbot venaient de se marier ! s'écria-t-elle. Je te rappelle quand même que j'étais sans nouvelles de toi depuis *quatre* mois !

Carlos se frotta la joue d'un air pensif.

— Non, finit-il par dire. En fait, j'essayais de te dire que j'avais tout fait pour empêcher Nina de poursuivre sa relation avec Talbot, mais je n'arrivais pas à trouver les mots justes. Je lui ai expliqué ce qui s'était passé avec mon père et elle a été horrifiée. Elle m'a demandé… si je comptais briser ta vie aussi. J'avoue que sa réflexion m'a donné à réfléchir.

Mia le dévisagea d'un air intrigué.

— Que veux-tu dire ?

— J'ai pensé que ce que j'avais de mieux à faire était de t'éviter. Par cette seule question, Nina m'a complètement déstabilisé. Elle m'a fait douter de mon propre jugement et même de ma santé mentale.

— Tu as donc préféré garder tes distances.

— Oui, mais c'était ce que tu voulais toi aussi, lui rappela-t-il. Mais à la veille de ton départ, je n'ai pas pu m'empêcher de venir voir comment tu allais. Et ce fut le début de ma descente aux enfers…

— J'étais bouleversée à l'idée que Bellbird allait être vendu, admit-elle dans un souffle. Et j'étais certaine qu'il y avait toujours quelque chose entre Nina et toi.

— Je n'éprouve plus rien pour Nina, assura-t-il, même si je suis ravi de la voir enfin heureuse.

Mia fut soudain assaillie par le profond besoin de libérer son âme de tous ses secrets.

— Il y a une chose que tu ne comprends pas, Carlos. Oui, je suis sans doute obnubilée par mon travail. J'attache en effet beaucoup d'importance à ma réussite professionnelle car cela me permet d'oublier mon passé de « fille de gouvernante ». Mais cela va plus loin encore…

— Et Byron dans tout cela ? coupa Carlos.

— Byron était une parenthèse enchantée, admit-elle, les larmes aux yeux, même si je ne peux oublier le choc que tu as éprouvé en voyant Nina et Talbot ensemble au restaurant.

Il avança la main vers elle, puis sembla se raviser et remplit de nouveau leurs flûtes.

— Merci, murmura-t-elle. Je t'ai dit un jour que je ne voulais pas être celle qui briserait le cœur de Nina. Je ne sais pas si cela a été le cas, mais…

Elle prit une profonde inspiration, consciente pour la première fois de sa vie qu'elle était amoureuse de Carlos.

— Je t'aime trop pour te voir lié à une femme pour laquelle tu n'éprouves pas de réels sentiments.

— Mia…

Mais elle leva la main pour le faire taire.

— Par ailleurs, je souffre d'un gros complexe d'infériorité, poursuivit-elle. Quand je me compare à des femmes comme Juanita et Nina qui sont toutes deux élégantes et racées, je ne peux m'empêcher de me trouver ordinaire. Et cela m'empêche d'aller de l'avant. Donc, tu vois, Nina n'est pas la seule à avoir des complexes.

Il la dévisagea d'un air incrédule.

— Redis-moi ça…

— Non, Carlos. Tu as parfaitement entendu.

— Sans doute, mais j'ai du mal à en croire mes oreilles. C'est moi, le fautif ?

— Je crois plutôt que c'est dans mes gènes, dit-elle d'une voix blanche.

Il contempla longuement ses cils interminables, sa bouche pleine et pulpeuse, ses cheveux indisciplinés et sa silhouette de rêve et sut sans l'ombre d'un doute qu'il devait à présent tout mettre en œuvre pour réparer ses erreurs et regagner sa confiance. Mais comment s'y prendre ?

— Ces derniers six mois ont été les plus durs de ma vie, admit-il. Certes, au plan professionnel, j'ai réalisé les rêves de mon père au-delà de toute espérance puisque O'Connor Constructions a désormais une renommée nationale.

— Toutes mes félicitations, dit Mia d'une voix incertaine, se demandant où il venait en venir.

— Merci, mais cela n'a rien changé en fin de compte.

— Comment ça ?

— Cela ne m'a pas pour autant donné une meilleure image de mon père. Au contraire ! Quant à ma mère… Je sais bien que sa loyauté envers la famille passe avant tout et je me suis résigné depuis longtemps à ses dérives — sauf dans ton cas où elle est allée trop loin, dit-il en étudiant son verre d'un air pensif. Mais, depuis quelque temps, elle et son chef étoilé m'agacent au plus haut point. Il se trouve qu'il est aussi snob qu'elle, et c'est peu dire !

— Vraiment ?

— Oui, assura-t-il. Dès qu'on aborde le sujet de la restauration, il se croit tenu de donner son avis : quel vin servir avec tel mets, quels sont les meilleurs restaurants en Australie et dans le monde… Bref, je ne les supporte plus !

— Oh ! mon Dieu !

— Comme tu dis, gémit-il. Et puis il y a ma sœur, Juanita. Depuis qu'elle est mariée et mère de jumeaux, elle est devenue d'une prétention sans bornes. Je ne sais pas comment Damien fait pour la supporter !

— Carlos…

Mais il leva la main pour lui intimer le silence.

— Ensuite, il y a l'industrie de la construction. Malgré mes différends avec mon père, je suis passionné par ce métier — ou plutôt, je l'étais, conclut-il d'un air sombre.

— Tu ne l'es plus ?

— Je m'en soucie comme d'une guigne. Autre chose. Sache que j'ai vécu comme un moine depuis ton départ de Byron parce que je ne pouvais supporter l'idée de toucher une autre femme que toi.

— C’est vrai ? dit-elle dans un souffle.

Il acquiesça.

— As-tu… essayé ?

— Une ou deux fois. Chaque fois, cela a été un véritable désastre. Et toi ?

— Je n’en avais pas envie, donc je n’ai même pas essayé.

Carlos prit sa main entre les siennes.

— Crois-tu que cela signifie… quelque chose ?

Mia prit une profonde inspiration.

— Carlos…

— Mia, je ne peux plus vivre sans toi. Cette situation me rend fou, tout comme les erreurs que j’ai commises envers toi. Quant à tes complexes, dit-il en fermant brièvement les yeux, oublie-les. Ils ne signifient rien à mes yeux. Et je t’en prie, accepte-moi dans ta vie, Mia. Sans toi, je ne suis rien.

Là-dessus, il se leva et en quelques enjambées fut devant elle. Du pouce, il lui souleva le menton et la dévisagea d’un regard interrogateur.

— Je crois que je t’ai toujours aimé, Carlos, murmura-t-elle, et que je t’aimerai toujours.

— Y a-t-il quelque chose de mal à cela ?

— Non, concéda-t-elle. Plus maintenant. Je n’ai plus la force de lutter contre mes sentiments. Tu m’as tant manqué !

Il l’attira dans ses bras.

— Toi aussi. Plus que tu ne pourrais l’imaginer. Veux-tu m’épouser, Mia ?

— Oui, murmura-t-elle en souriant de bonheur.

— Tes fossettes sont revenues, fit-il soudain remarquer.

— Elles saluent ton retour.

— Merci, dit-il d’une voix vibrante, avant de l’embrasser.

Ils se réveillèrent longtemps après dans les bras l’un de l’autre. Allongés sur le canapé du salon, ils jouissaient d’une vue imprenable sur l’orage qui menaçait.

— Je t'avais dit que de fortes pluies étaient prévues, dit-elle en se blottissant contre son épaule.

— Juanita sera déçue, mais surtout indignée de n'avoir pas su contrôler les conditions atmosphériques.

Mia laissa échapper un petit rire.

— Ce n'est pas gentil, lui reprocha-t-elle. Elle n'est pas autoritaire à ce point, tout de même ?

Haussant les épaules, il traça du bout des doigts le contour de ses lèvres.

— En fait, elle est en plein conflit avec Damien en ce moment au sujet du choix des prénoms des jumeaux.

— Oh, oui, parle-moi d'eux, dit Mia, tout excitée. Je sais seulement qu'il s'agit d'un garçon et d'une fille.

— Exact, dit-il, tout en poursuivant ses caresses. Juanita a choisi des prénoms prétentieux — Charlotte et Henry. Damien quant à lui veut les appeler Barbara et Banjo ! Hier soir, quand je les ai quittés, ils n'avaient toujours pas trouvé de terrain d'entente.

— Ne laissent-ils pas un peu traîner les choses ?

— Mmm... Je suis le parrain, au fait. Je compte d'ailleurs sur toi pour m'aider à tenir au mieux mon rôle !

Mais Mia avait d'autres préoccupations en tête. En effet, Carlos défaisait lentement les boutons de son chemisier puis, après avoir glissé les mains derrière son dos, dégrafait son soutien-gorge...

Elle poussa un soupir étranglé mais ne protesta pas quand il lui ôta ses vêtements et lui annonça qu'il leur fallait un lit.

— Je crois qu'on devrait pouvoir remédier à ça, le taquina-t-elle. Tu vas pouvoir tester la suite nuptiale !

— Montre-moi le chemin, dit-il en la soulevant dans ses bras.

En voyant la chambre, son ébahissement fut total.

— Seigneur ! s'exclama-t-il en balayant la pièce du regard.

Une symphonie de couleurs savamment orchestrée dans

les tons blancs et verts éclairait la chambre d'une lumière tamisée qui mettait en valeur l'immense lit à baldaquin, garni de nombreux coussins moelleux. Une superbe toile représentant des fleurs occupait un pan entier de mur et une moquette épaisse recouvrait le sol.

— Crois-tu que j'aie un peu exagéré ? demanda Mia d'une voix timide.

— Pas du tout !

Il la déposa sur le lit et ensemble ils s'empressèrent de jeter les coussins sur le sol, avant de se débarrasser à la hâte de leurs vêtements, tant leur désir l'un pour l'autre était intense.

Quand ils redescendirent sur terre, un peu plus tard, elle se blottit dans ses bras, comblée.

— Quand veux-tu m'épouser ?

— Dès que possible.

Il se frotta la joue d'un air pensif.

— J'ai ce satané baptême prévu demain. Comme je ne peux m'y soustraire, je te propose d'y assister avec moi.

— Carlos, je serai présente, mais en tant qu'employée.

— Non, répliqua-t-il d'un ton ferme. Demande à Gail et à sa mère de s'en occuper. Je te veux à mes côtés, sinon je risque de me montrer impoli et méchant envers ma famille.

Mia rit doucement.

— Ta mère sera furieuse. Peut-être que ce n'est pas le meilleur jour pour leur annoncer notre mariage ?

— Ma mère a beaucoup changé, tu sais. Quoi qu'il en soit, je ne vois pas l'intérêt de lui cacher la nouvelle.

Après avoir réfléchi quelques instants, Mia opina.

— Tu as raison. De plus, il faut que je mette Gail au courant. Elle doit d'ailleurs se demander où je suis passée !

Il s'étira, peu enclin à bouger.

— Elle va peut-être même partir à ma recherche, insista-t-elle. Et nous n'avons pas fermé la porte à clé.

Carlos étouffa un juron puis l'enlaça.

— C'est bon, j'ai compris. Je suppose que nous ne pouvons pas prendre une douche ensemble ?

— Oh, mais si ! dit Mia d'un air espiègle. La salle de bains est tout simplement superbe, tu verras.

— Ah, te voilà, Mia ! dit Gail, comme Mia entrait dans le bureau. Je te cherchais. Il y a…

Elle s'interrompit en voyant Carlos suivre Mia de près.

— Oh, non ! Pas encore vous !

Carlos eut d'abord l'air étonné, puis vaguement amusé.

— Désolé, Gail. J'ignorais que je figurais sur votre liste noire. Y a-t-il une raison à cela ?

Mia s'éclaircit la gorge et s'apprêtait à intervenir quand Gail la devança.

— Parfaitement, monsieur O'Connor. Vous n'arrêtez pas de partir et de revenir et, chaque fois, c'est à moi de recoller les morceaux.

— *Gail !* protesta Mia.

La jeune femme se tourna vers elle.

— C'est vrai ! Chaque fois, tu étais bouleversée et…

— Gail, intervint Carlos d'une voix calme, cela n'arrivera plus. Mia a accepté de m'épouser. Nous sommes très amoureux l'un de l'autre et tous nos différends ont été réglés. Mais je voulais vous remercier d'avoir soutenu Mia durant ces moments difficiles.

Gail demeura immobile quelques instants, puis elle contourna le bureau et serra les amoureux dans ses bras.

— Oh ! je suis si heureuse pour vous ! s'exclama-t-elle, les larmes aux yeux. Le mariage est prévu pour quand ? Aura-t-il lieu ici ? Je peux m'occuper de tout, si vous voulez.

— Nous n'avons encore rien prévu, rétorqua Mia d'une voix émue. En revanche, j'aimerais que tu t'occupes du baptême demain car j'y assisterai en tant qu'invitée.

— Avec plaisir !

*
* *

Mia et Carlos souriaient encore quand ils sortirent dans le jardin pour profiter des derniers rayons du soleil. Puis Carlos s'arrêta et prit Mia dans ses bras.

— Je me sens honteux de t'avoir abandonnée ici toute seule, à broyer du noir. Comment as-tu fait pour me pardonner ?

Mia lui noua les bras autour du cou.

— Gail ne sait pas que c'est moi qui t'ai demandé de partir.

— Même si cette décision te brisait le cœur ?

Elle acquiesça et posa la main sur son épaule.

— Et toi, que ressentais-tu ?

— Beaucoup de colère et d'amertume à l'idée que tu préférais Billbird à moi. J'étais vraiment malheureux !

— Eh bien, conclut Mia, puisque nous avons tous les deux vécu l'enfer, pourquoi n'irions-nous pas maintenant au paradis ?

— Pas au sens propre du terme, j'espère !

— Non, s'esclaffa-t-elle. Je pensais plutôt retourner dans la suite nuptiale…

— Ne crains-tu pas de mettre la charrue avant les bœufs ?

— Pas le moins du monde. Je pensais te concocter un bon dîner : un steak épais et juteux, des frites bien croquantes, de la salade — iceberg bien entendu — et peut-être même des champignons. Il faut juste que j'aille chercher les ingrédients dans la cuisine.

— Voilà une proposition qui ne se refuse pas !

— Parfait. Ensuite, nous pourrons nous inquiéter de savoir si nous mettons la charrue avant les bœufs.

Il lui adressa un sourire amusé.

— Je vois que vous allez me donner du fil à retordre, mademoiselle Gardiner.

— C'est bien mon intention !

10.

Le jour où les jumeaux de Juanita furent baptisés fut à marquer d'une pierre blanche. Sous une pluie battante, Mia se rendit en voiture jusqu'à sa petite maison pour chercher ses vêtements.

Au moment où elle s'apprêtait à remonter en voiture, Bill apparut au volant d'un véhicule utilitaire rempli à ras bord de sacs d'engrais et se gara à côté d'elle.

— Salut, Mia ! J'ai appris la nouvelle et tenais à te féliciter. Tu seras bien plus heureuse mariée, crois-moi.

Mia prit une profonde inspiration et s'efforça de réprimer sa fureur.

— Merci, Bill. Je ferai de mon mieux ! ironisa-t-elle.

— Et transmets tous mes vœux à Carlos. J'espère pour lui qu'il sait ce qu'il fait, bien que peu d'hommes sachent vraiment à quoi ils s'engagent !

Là-dessus, il démarra en riant aux éclats.

Frémissante de rage, Mia regarda la voiture s'éloigner avant de monter dans son véhicule et d'en claquer la portière d'un geste rageur. Dès son retour à la suite nuptiale, Carlos vit tout de suite que quelque chose n'allait pas à sa mine renfrognée.

— Que se passe-t-il ?

— Oh ! rien, marmonna-t-elle en posant ses vêtements sur une chaise. Et qu'est-ce qui te fait croire que quelque chose ne va pas ?

— Ta tête. Tu as l'air prête au meurtre !

Mia sourit malgré elle et lui relata sa conversation avec Bill.

— Je ne voudrais pas prendre sa défense, mais…

Mia fit un geste agacé de la main.

— Vous les hommes, vous êtes tous pareils ! s'écria-t-elle en serrant son sac contre sa poitrine. Carlos, je ne suis pas sûre de pouvoir aller jusqu'au bout.

Carlos lui enlaça la taille de son bras.

— Bien sûr que si, Mia ! De toute façon, ils sont déjà tous au courant !

Mia écarquilla les yeux.

— Comment a réagi ta mère ? Etait-elle furieuse ?

— Non, elle m'a dit qu'il était grand temps que je me marie et Juanita a renchéri. Cela dit, ajouta-t-il en fronçant les sourcils, j'ai eu la nette impression que l'ambiance était plutôt tendue. Elles semblaient toutes deux préoccupées, *avant même* que je leur annonce la nouvelle.

Mia se détendit imperceptiblement à cette nouvelle.

— J'espère, soupira-t-elle, car je ne tiens pas à être à la une des journaux demain !

Il inclina la tête et déposa un baiser sur ses lèvres.

— Tu étais pourtant à la une de mes pensées hier soir. Tu as une manière bien à toi de mettre la charrue avant les bœufs !

Un frisson parcourut Mia au souvenir de la nuit passée.

— C'était bien, n'est-ce pas ? dit-elle dans un souffle.

Cette fois, il l'embrassa avec passion, avant de la libérer à contrecœur.

— Nous devrions peut-être nous habiller avant de nous laisser une fois encore emporter par la passion, dit-il, une lueur espiègle dans le regard. Nous sommes après tout assez coutumiers du fait…

Mit rit et, se hissant sur la pointe des pieds, elle l'embrassa.

— C'est vrai, concéda-t-elle. Je m'en vais.

Il poussa un soupir mais ne la retint pas.

*
* *

Mia revêtit une élégante robe en soie jaune et une veste bleu-gris ceinturée à la taille. Elle ne portait pas de chapeau, préférant laisser ses cheveux flotter librement sur ses épaules comme il les aimait.

Se retournant, elle vit Carlos, vêtu d'un costume sombre, d'une chemise bleu pâle et d'une cravate assortie. Subjuguée, elle poussa un soupir étranglé, tandis qu'il la rejoignait en deux enjambées.

— Tu es très élégant, dit-elle.

— Et toi, tu es resplendissante, assura-t-il en lui prenant la main. On y va ?

La pluie s'était enfin arrêtée et les rayons de soleil illuminaient la petite église où avait lieu le baptême.

Dans son ensemble shantung ivoire, Arancha était comme à son habitude très élégante. Après avoir effleuré la joue de Mia d'un baiser froid, elle l'avait accueillie avec cordialité.

— Oublions le passé, Mia, et devenons amies.

Consciente d'en être bien incapable, Mia avait néanmoins pris sur elle, dans l'intérêt de Carlos.

— Bien sûr ! avait-elle rétorqué chaleureusement.

Ensuite, on lui avait présenté le chef étoilé d'Arancha, lequel lui avait d'emblée annoncé qu'il serait ravi de lui donner des conseils pour tout ce qui touchait à la cuisine et au métier de traiteur. En sentant Carlos se raidir à côté d'elle, Mia l'avait remercié avec tact et lui avait répondu qu'elle en serait enchantée.

Puis elle avait tourné le regard vers Juanita. Celle-ci était vêtue d'une robe de soie violette tandis que Damien portait un costume sombre. Ils tenaient chacun un bébé dans les bras et semblaient presque en état de choc.

Mais ce ne fut qu'au moment où les bébés furent baptisés que le mystère qui avait entouré leurs prénoms fut levé. La petite fille fut nommée Alegria Arancha et le petit garçon, Benito Francis.

— En voilà de jolis prénoms espagnol ! s'exclama Arancha.

Mia entendit Carlos étouffer un juron, mais dut patienter jusqu'à ce que Carlos et elle se trouvent enfin dans la voiture en route pour Bellbird après la cérémonie pour laisser libre cours à ses pensées.

— Je croyais que ta mère ne s'immisçait plus dans la vie des autres ?

— Je me suis trompé, admit Carlos. Cela dit, la discorde entre Juanita et Damien prenait de telles proportions que l'intervention de ma mère a peut-être été un trait de génie.

Mia rit doucement.

— En tout cas, je t'ai trouvée charmante avec ma mère et son mari, dit-il en s'engageant dans l'allée de Bellbird.

— Et je compte continuer ainsi. Je ne sais pas pourquoi, mais je me sens soudain différente.

— Vraiment ? De quelle façon ?

— Je ne me vois plus comme la fille de la gouvernante.

— Serait-ce parce que tu vas bientôt devenir la femme du patron ? suggéra-t-il avec un sourire malicieux.

— Pas seulement, assura-t-elle. Je crois que je viens de réaliser que vous êtes en fin de compte des gens tout à fait normaux !

— J'aurais au contraire pensé qu'on frôlait la démence, objecta-t-il en arrêtant la voiture devant le perron.

— Certes, vous vous disputez, vous avez des moments de folie, des hauts et des bas... Mais comme tout le monde !

Il se tourna vers elle et entoura ses épaules de son bras.

— Je crois qu'il est temps que je prenne mon rôle de chef de famille au sérieux. Je vais tâcher de régler les différends qui opposent les membres de ma famille. As-tu remarqué à quel point Damien et Juanita semblent se détester ?

— Oh, oui ! Ils ne se regardent même plus !

— Bien. Te souviens-tu de m'avoir prié de faire un

discours hors du commun lors du mariage de Juanita dans l'espoir de mettre un peu d'ambiance et de sauver la fête ?

— Oui, répondit-elle, un sourire aux lèvres.

— Si j'arrive à transformer ce dîner de baptême en un événement festif et joyeux, me promets-tu de ne plus jamais te considérer comme la « fille de la gouvernante » ?

— Je te le promets. Oh ! oui, je t'en prie, fais-le. Je t'aime, Carlos O'Connor, dit-elle, le visage baigné de larmes de joie.

Découvrez la nouvelle saga *Azur*

de 8 titres inédits

La Fierté des Corretti

PASSIONS SICILIENNES

Et si seul l'amour avait le pouvoir de sauver les Corretti ?

1er avril

1er mai

1er juin

1er juillet

1er août

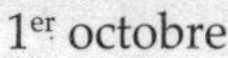

1er septembre

1er octobre

1er novembre

Rendez-vous dans vos points de vente habituels
ou en e-book sur www.harlequin.fr

collection Azur

Ne manquez pas, dès le 1er juillet

MARIÉE SOUS CONTRAT, *Trish Morey* • *N°3485*

Pour apporter un peu de réconfort à son grand-père malade, Simona a imaginé un plan aussi fou qu'audacieux : proposer à Alesander Esquivel de l'épouser. Bien sûr, elle sait que leurs deux familles se détestent depuis toujours, mais il s'agirait d'un mariage de convenance, jusqu'à la mort du vieil homme. Celui-ci pourra ainsi croire que les vignes qu'il a jadis cédées à son pire ennemi sont revenues dans la famille. Et tant pis si elle doit en échange abandonner à Alesander le peu de terres qu'il lui reste. Mais à mesure que le mariage approche, Simona sent sa résolution faiblir. Ne commet-elle pas une folie en liant son destin, même temporairement, à cet homme qu'elle connait à peine, mais qui éveille en elle des sentiments intenses et troublants ?

LE SECRET D'UN MILLIARDAIRE, Cathy Williams • *N°3486*

Enceinte ? Non, Holly refuse de croire que le destin puisse se montrer aussi cruel. Il y a quelques semaines encore, cette nouvelle l'aurait emplie de joie. Aujourd'hui hélas, elle sait que Luiz Casella, l'homme qu'elle aimait de tout son cœur, s'est joué d'elle. L'impitoyable milliardaire ne lui a-t-il pas caché sa véritable identité pendant toute l'année qu'à duré leur relation ? Pourtant, en dépit de sa colère et de son chagrin, Holly ne se sent pas le droit de lui cacher son état. Mais lorsque Luiz exige alors qu'elle devienne sa femme, elle sent la panique l'envahir. Comment se résoudre à un mariage de convenance avec cet homme en qui elle n'a aucune confiance ? Sauf qu'il est de son devoir d'offrir le meilleur à cet enfant qui grandit en elle…

L'HÉRITIER D'ALESSANDRO MARCIANO, *Melanie Milburne* • *N°3487*

Enfant Secret

Quand Alessandro Marciano pénètre dans l'agence de décoration qu'elle a créée, Scarlett sent son sang se glacer. Comment ose-t-il se présenter devant elle – pire : exiger qu'elle travaille pour lui – après la façon odieuse dont il l'a traitée quatre ans plus tôt ? Jamais elle n'oubliera cette nuit terrible où il l'a jetée hors de chez lui, en la traitant d'aventurière prête à tout pour se faire épouser, alors qu'elle venait de lui annoncer sa grossesse ! Mais, aujourd'hui, l'importante somme d'argent qu'il lui propose lui permettrait d'offrir à son fils la vie meilleure dont elle rêve pour lui. Et puis, n'est-ce pas l'occasion inespérée de forcer Alessandro à accepter la vérité ? Car, dès qu'il aura vu Matthew, il ne pourra plus douter qu'il s'agit bien de son fils...

UNE PRINCESSE INSOUMISE, Michelle Conder • *N°3488*

Alors qu'elle séjourne en France, la princesse Ava apprend, dévastée, la mort de son frère aîné dans un terrible accident. Mais une vague de panique s'ajoute à sa profonde tristesse lorsqu'elle comprend qu'elle est maintenant l'héritière de la principauté et qu'elle sera désormais placée sous la protection rapprochée de James Wolfe. Wolfe… l'homme entre les bras duquel elle vient de vivre, sur une impulsion, une brûlante nuit de passion. N'avait-elle pas désespérément besoin de s'offrir une folie avant de rentrer à Anders, où l'attendait une vie d'obligations et de devoirs ? Des devoirs auxquels elle doit, plus que jamais, se consacrer corps et âme. Mais comment le pourrait-elle avec cet homme troublant à ses côtés - jour et nuit ?

UN JEU SI TROUBLANT, Ally Blake • *N°3489*

Un ego meurtri et une montagne de dettes, voilà tout ce que sa dernière relation sentimentale a apporté à Saskia. Aussi est-elle bien décidée à se tenir désormais à distance des hommes. Mais lorsque le beau Nate Mackenzie lui propose de rembourser ses dettes si elle accepte de se faire passer pour sa fiancée auprès de sa famille, la tentation est forte d'accepter. N'a-t-elle pas terriblement besoin de cet argent ? Et puis, ces six semaines seront vite passées… Hélas, Saskia se demande bientôt si elle n'a pas commis une terrible erreur. Car, tandis que les jours passent, Nate se révèle aussi séduisant qu'il est sexy. Au point qu'elle doit finir par admettre qu'il a le pouvoir de la blesser bien plus cruellement que tous les autres hommes réunis...

UN ÉTÉ EN ECOSSE, Kim Lawrence • *N°3490*

En acceptant le poste de gouvernante auprès de la petite Jasmine, Anna sait qu'elle s'engage dans une voie dangereuse. Car ce travail va la contraindre à cohabiter avec Cesare Urquart, l'oncle de la petite fille, qui ne fait rien pour lui dissimuler son hostilité, et qu'elle-même déteste. N'est-ce pas justement à cause de Cesare qu'elle n'a pu obtenir le poste de directrice de l'école du village ? Alors, puisque la jeune sœur de Cesare a décidé de lui confier sa fille, Anna compte bien en profiter pour prouver sa valeur. Et tant pis si cela ne plait pas à cet homme dont les traits si séduisants cachent un caractère odieux et une insupportable arrogance !

PRISONNIÈRE AU PALAIS, Sara Craven • *N°3491*

Andrea Valieri est prêt à tout pour se venger des Sylvester qui ont détruit sa famille. Et, aujourd'hui, cette chance se présente enfin à lui, sous les traits délicats de Madeleine Lang – la jeune fiancée de Jeremy Sylvester. C'est décidé, Andrea trouvera le moyen de l'attirer en Italie et là, de la retenir prisonnière jusqu'à obtenir les preuves qui blanchiront le nom des Valieri… Mais sitôt son plan mis à exécution, il comprend qu'il a négligé un détail important : la beauté à couper le souffle de la jeune femme. Pourtant, hors de question de céder au désir fou que celle-ci lui inspire : pour mener à bien sa vengeance, Andrea doit considérer Madeleine comme un pion, pas comme la femme vibrante de colère et de passion dont le corps de rêve hante ses nuits...

UN MOIS AVEC UN PLAY-BOY, Kimberly Lang • N°3492

Avoir été choisie pour récolter les fonds qui permettront de reconstruire les quartiers les plus pauvres de La Nouvelle-Orléans ? Pour Vivienne, c'est le couronnement d'années d'engagement caritatif. Mais collaborer avec Connor Mansfield, ce play-boy inconstant et cynique ? Cela lui semble insurmontable. Pourtant, Vivienne le sait, en tant que star internationale, Connor donnera une visibilité nouvelle à l'événement et permettra d'attirer de nombreux dons. Comment pourrait-elle être assez égoïste pour refuser cette collaboration ? Mais si elle doit faire bonne figure en public, elle se promet de tout faire pour effacer définitivement du visage de Connor ce sourire agaçant – et bien trop sexy – qu'il ne semble destiner qu'à elle seule...

UNE NUIT D'AMOUR AVEC LE CHEIKH, Lynne Graham • N°3493

- Amoureuses et insoumises - 2ème partie

Saffy ne décolère pas. Comment Zahir a-t-il osé la faire enlever ? Bien sûr, elle sait très bien que son ex-mari, le puissant cheikh de Maraban, a tout pouvoir dans son royaume. Mais elle n'aurait jamais imaginé qu'il utiliserait ce pouvoir contre elle ! Pire, il ne lui rendra sa liberté que si elle accepte de partager son lit une dernière fois. A cette idée, la colère de Saffy se teinte d'un trouble indéfinissable. Depuis leur divorce, aucun homme n'a su éveiller en elle ce feu brûlant, ce frisson... alors, n'est-ce pas l'occasion de s'offrir tout ce qu'elle désire ? Pour une nuit ? Ensuite, elle s'en fait la promesse, elle retournera à la vie qu'elle s'est construite à Londres, loin de Zahir...

AMOUREUSE D'UN CORRETTI, Kate Hewitt • N°3494

- La fierté des Corretti - 4ème partie

Rien n'aurait pu préparer Lucia à revoir Angelo Corretti, l'homme qu'elle n'a jamais cessé d'aimer malgré le lourd secret qu'elle porte depuis leur unique nuit de passion, sept ans plus tôt. Troublée, émue malgré elle, Lucia sait qu'elle doit à tout prix lui cacher ses sentiments puissants et tumultueux. Car Angelo n'est pas revenu en Sicile pour elle, mais uniquement guidé par sa haine des Corretti et par sa détermination à se venger d'eux. Si elle ne veut pas avoir, une nouvelle fois, le cœur brisé, Lucia va devoir garder ses distances avec Angelo Corretti, et tourner le dos au désir qu'elle voit briller dans son regard...

Attention, numérotation des livres différente pour le Canada : numéros 1922 à 1931.

Composé et édité par les
éditions HARLEQUIN
Achevé d'imprimer en mai 2014

La Flèche
Dépôt légal : juin 2014

Imprimé en France